髪の絵本

中原淳一

中原淳一が「髪の絵本」を出版した昭和二十三年は、戦後の混乱からようやく世の中が落ち着きを取り戻しつつあった時代でした。戦時中には『パーマネントは止めましょう』などと、髪を波立たせることすら罪悪のように言われていたのが、このころ出始めた本では外国で流行している洋髪をやたらに写真で見せたり、今までのスタイルを否定したりするようになっていました。淳一はそんな風潮を見て、そんなふうに読者を戸惑わせるようなやり方でなく、日本のこの時代にこんな髪型を結ったら面白いのではないかというようなヘアースタイルを、すべて自分の絵で描いた本を作ろうと思いたったのだと、後に語っています。

そのような時代背景を汲み取っていただけるように、また淳一の仕事を残すという「淳一文庫」の主旨に基づき、本書では今の時代にはそぐわないと思われる記述にも特に手を加えずに当時のまま記載しました。さらに、もう少し新しい時代の『髪』を、雑誌「それいゆ」からいくつか抜粋して付け加えました。髪のスタイルブックとして役立てるだけでなく、時代の流れの中での女性の髪の変遷の一端をも感じ取っていただければ幸いです。

全編を通じて溢れている淳一の「髪を結う」ことに対する考え方は、『生活を楽しむ』という基本的な姿勢に裏打ちされて、時代が移り変わろうとも多くのヒントを与えてくれることと思います。本書がいつの時代にも、毎日の生活を楽しく気持ちよく過すための一助として多くの方々に愛されていくことを、心から願っています。

製作にあたって

本書の製作にあたっては、昭和二十三年二月、ヒマワリ社より刊行された「髪の絵本」を原本とし、さらに雑誌「それいゆ」昭和二十五年三月号、昭和三十一年春号、昭和三十三年二月号、十二月号より髪のページを抜粋し巻末に付した。

本文収録にあたっては、原本の誤字・脱字等を訂正し、旧版を新字（常用漢字）・新仮名遣いに改め、新たに組み直した。

本文ページのレイアウトは基本的に原本にならっているが、カラーページの写真一点を削除したほか、字が小さく読みづらいページは字の拡大に伴いレイアウトし直した。

表紙画は新たに原画より撮影し、表紙文字は新たに書き起こした。

髪の絵本

髪の絵本

美しくありたい，という気持はほとんど人間の本能のようなものです。

その気持を，うわべを美しく飾りたてることによって，自分をひとより美しく見せようとする，見栄やうぬぼれとのみ考えるのは正しくありません。むしろ自分のみにくさを，ひとの目にふれさせまいという，切実な女らしさの表れと解釈してもいいのではないでしょうか。

勿論，内の美のともなわないうわべばかりを装うことの行き過ぎは，浅薄なものとなって眼にうつります。真の美しさとは，内なる知性，教養の輝きと調和した，外の身なりの美しさであらねばなりません。

その美しく装うということが，色々な意味で困難な今の日本で，割合に簡単に装えるものとしては頭の髪があります。

髪は，女性が一番大切にしている「顔」という一枚の画の額縁のようなもので，額縁がどれほど画にとって大切なものかは，どんな名画も調和した額縁を持つか持たないかで，その美しさや雰囲気を生かされも殺されもするのです。

それほど大切な髪ですから、自分の顔に合うということはごく必要ですが，似合うということは結いなれたということとは別で，毎朝鏡に向うと，まるで癖のように同じ頭に結ってしまうのなどは感心できない。周囲の雰囲気に敏感に，勤めの帰りに音楽会に行く時など，同じ顔でもリングをやわらかくほぐしてみたり，一輪の花を飾ったりする位の神経はもちたいものです。

それともう一つ，今流行の髪だから自分も結う，というのではなくあくまで「私の髪」というのを，幾つか見つけることです。「自分だけしか結わない髪」を発見して，その上で如上の配慮があっていいと思います。髪が新しければ，おのずと気分も新しくなるものです。

最後に，髪がもっとも金のかからないお洒落だといっても，髪の美しさは全身との調和の上に築かれるものだという点を忘れないで下さい。常に他人はあなた方の全身を見ているのだから，顔から上ばかりの不調和な美しさは，枯枝の先に満開の花を接いだようなぎこちないものになります。つまり髪は髪だけで終らず，化粧にも衣装にも，ついにはあなた方の心にまでつながってゆく問題なのですから。

昭和23年２月　　中原淳一

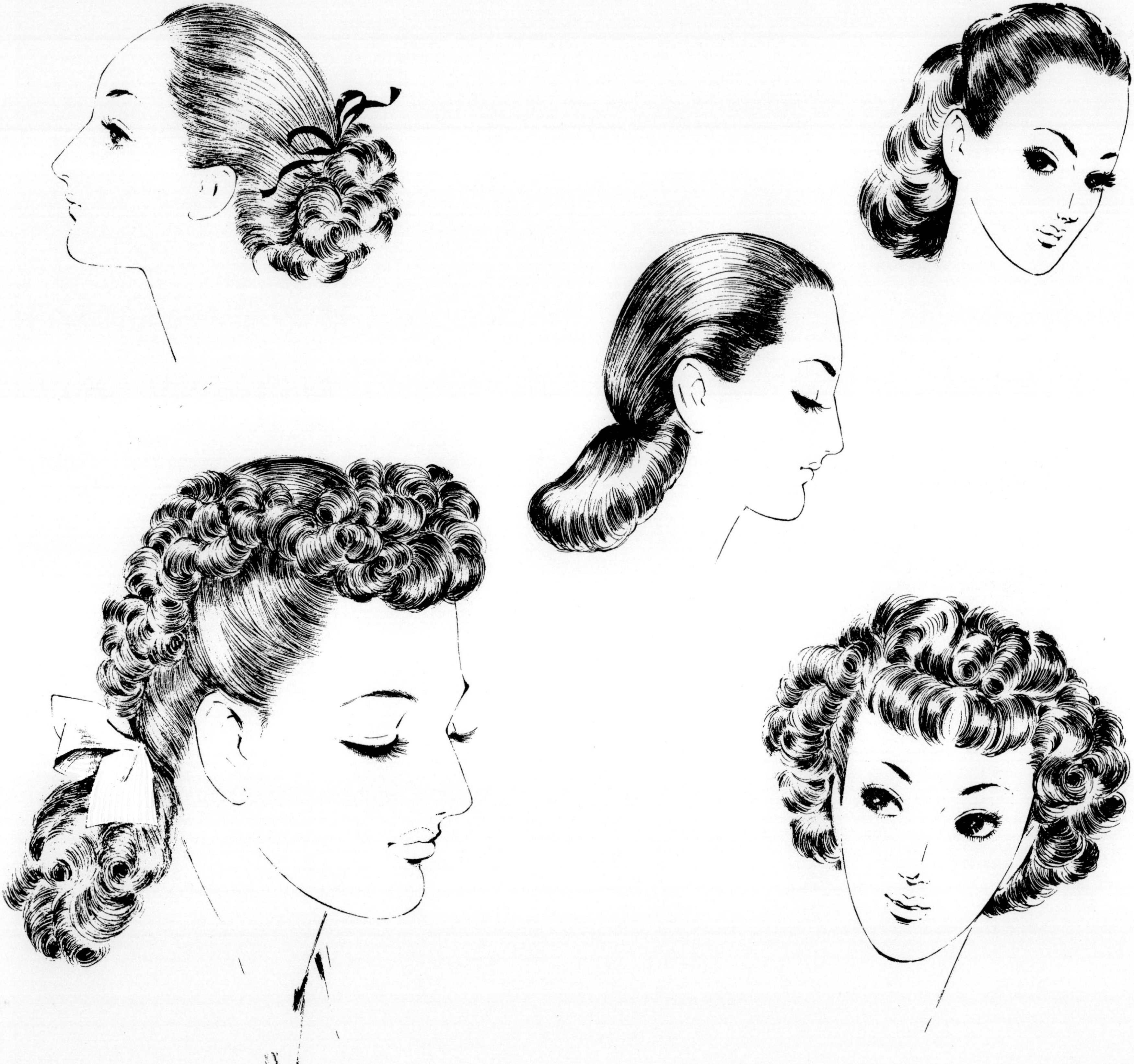

三つ編のある髪

三つ編はもっとも簡単でありながら，編んだだけでも，女の髪の形になってくるものなのです。女の髪の技巧の中の，傑作ではないかと信じます。技巧が簡単だから他の髪形のもつデリケートなものが無いように思うでしょうが，簡単なればこそ素朴で，素朴なるが故にいかにも可愛いのです。

しかし，可愛いといっても，三つ編そのものには限られた年齢はないのです。だから，その扱い方一つで，小さな子供の髪にも，中年のひとの髪にもなります。毛の長いひとがその毛をもてあました時でも，それを三つ編にしてちょっと頭に巻きつけてピンで留めたら，他人の手を借りないでいくらでも良い髪が結える筈です。

二たび三たびくり返して，三つ編は髪の技巧の傑作なのです。

髪六つ

1

3

2

5

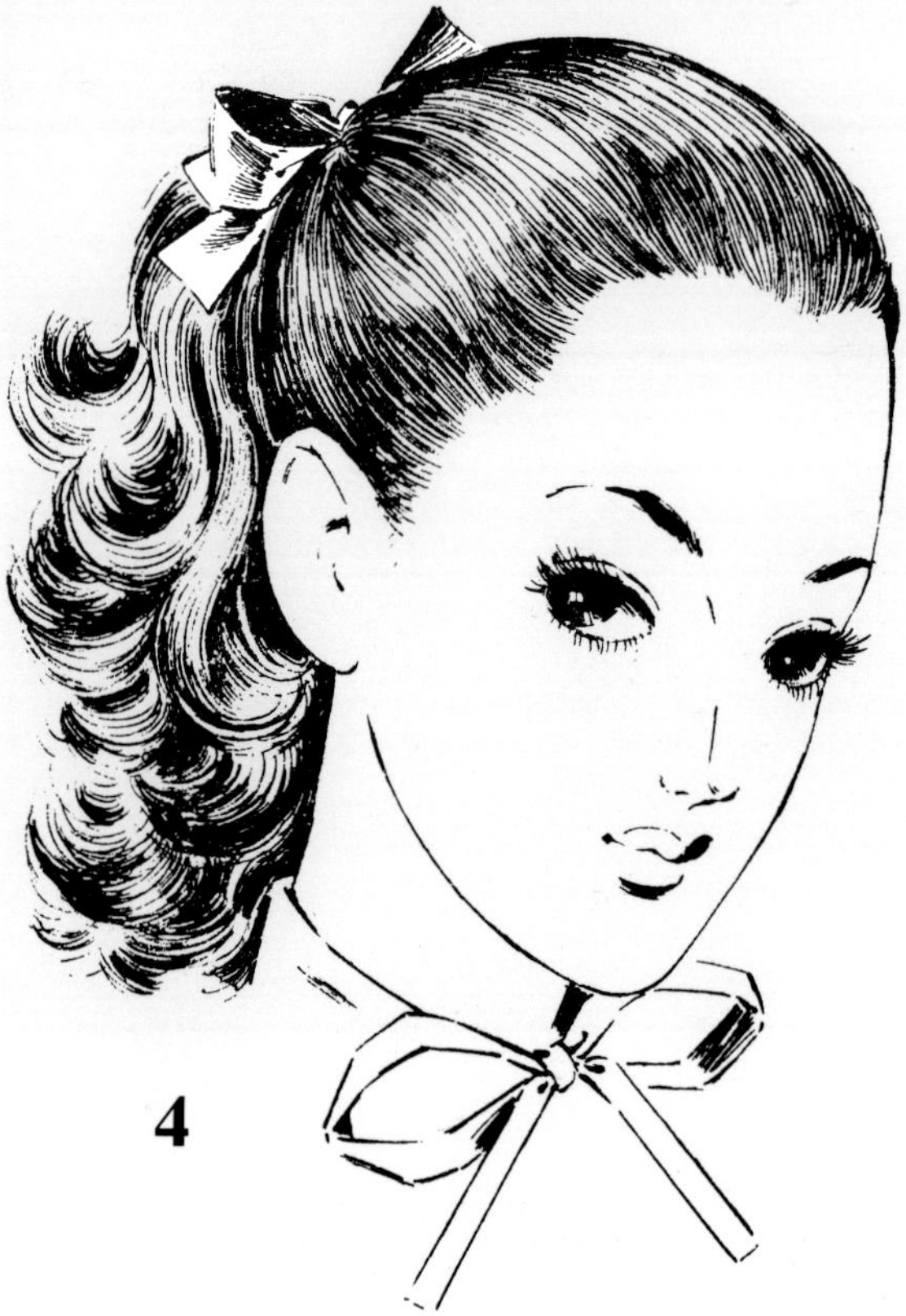

4

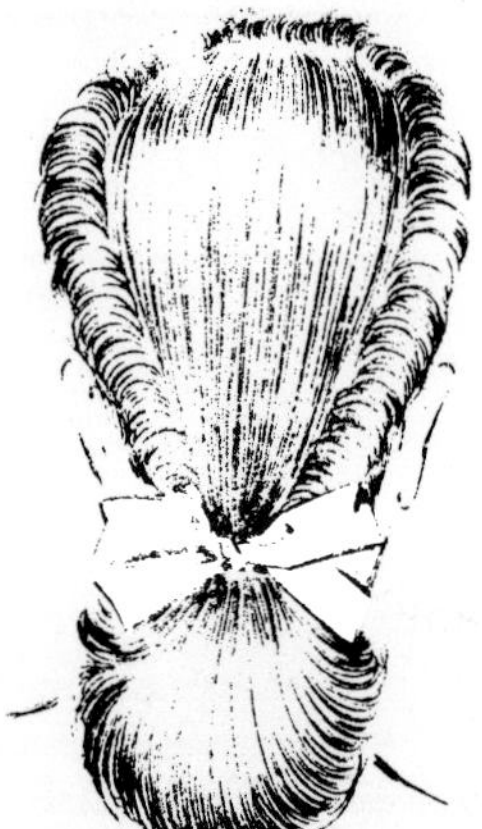

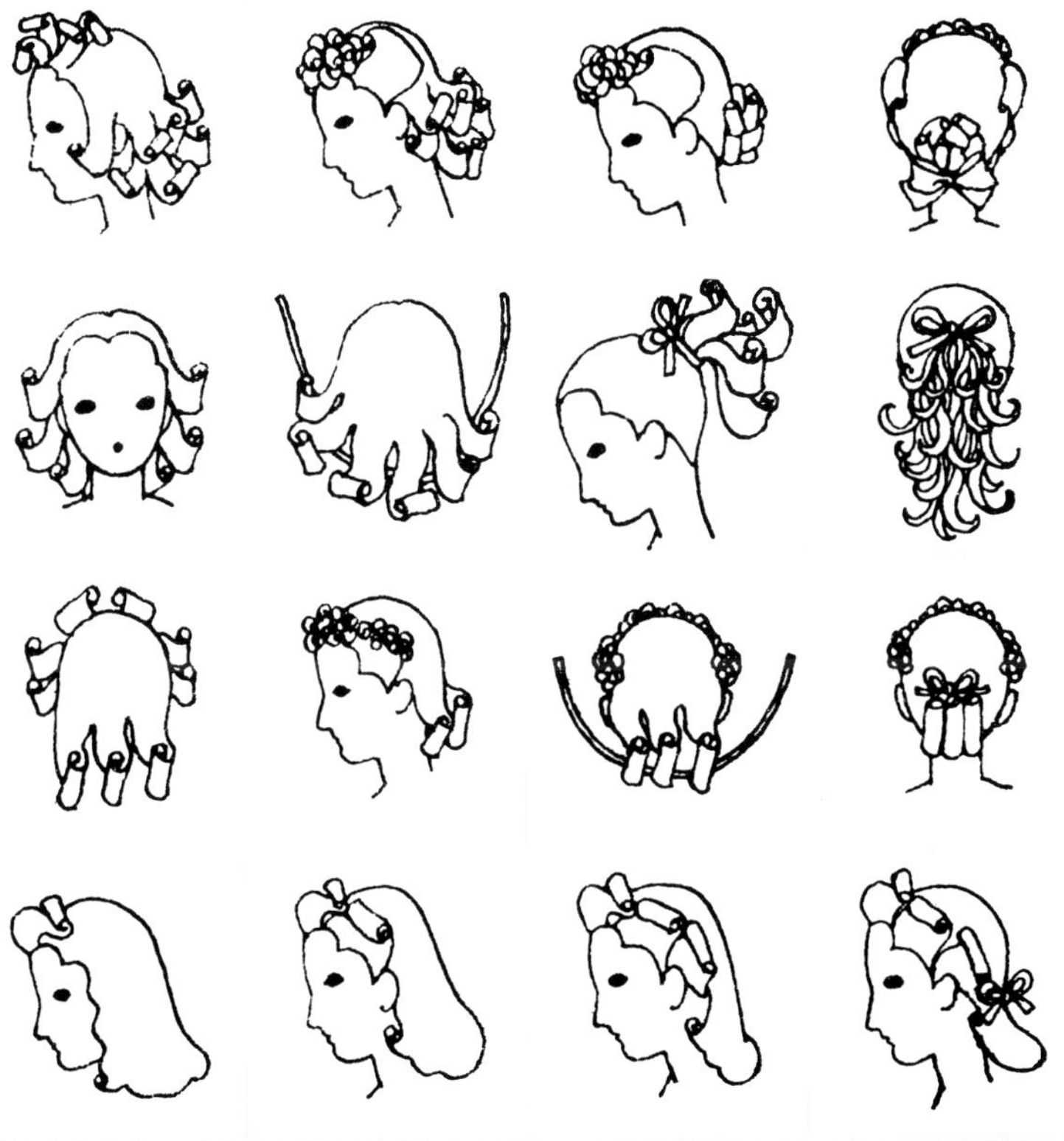

6

若い人に
カレッジの髪
オフィスの髪

1

つやつやした黒い髪が，無雑作にといてあるだけでも，巧まない美しさで若さは充分に生きてくるものだ。

ドーランや紅の助けを借りての濃化粧が，本当に必要な人は，すでに新鮮な若さを失った人であって，もぎたての果実のように頬におのずと若さがあふれているならば，もうそれで充分である。そのように，若い人は結い上げるよりも，ごく自然に美しくとくだけでいい。ただ，どうとくかという，そのとき方は考えておかねばならない。

髪を結う。

その言葉はいかにも女の生活を匂わせるニュアンスをもって響いてくる。

けれど，結うといえば髪を結んで束ねることであり，結い上げる，などといえばもっと技巧的になった場合のことだろう。

若さが噴きこぼれるようなお嬢さん達には，髪を結うとか結い上げるとかいうよりも，むしろ髪をとかす，というくらいの気持であって良いと思う。

濃化粧が必要でない若い人でも，自分の欠点を補うためには，軽く化粧することくらいは忘れないでほしいように，髪をとかすといっても，どうとかすのが自分に一番良く似合うか，ということだけは知っていてほしい。

これは髪だけではないが，清潔であることがもっともうつくしいことで，いくら若さがあふれていても，髪に埃やフケが見えたり，油気なくカサカサの毛では，若いうつくしさが殺されてしまう。

カレッジ・ガールというのは，年齢をぬきにして，ひたすらに知識を吸収しながら，日毎に伸びていく人達である。

だから，いつでも「若作りの技巧」でない幼さが，真にあふれていなければならない。したがっていえることは，高い教養を身につけようとカレッジで学んでいる娘たちが，着かざった町娘やそこらの奥さんと同じ感覚で生みだされた髪でない方が本当なのである。

髪形一つにも，豊かな知性と伸びゆく若さの裏づけを見せてほしい。

リボンは『結ぶ』という必要にせまられて生れたものである。

だから同じ髪飾りには違いないが，造花などとは別な，ナイーヴな巧まない美しさにあふれている。

しかし髪飾りはリボンや造花だけと決めないで，何かと工夫してみたいものだ。

例えば，好きなブローチがあったらそれを二つ買って，一つを胸に，一つを髪につけるのなども，可愛さを印象づける役目をするかも知れない。

オフィスで働く人に。

働いている人が一番美しいのは，働く雰囲気をその人が身につけている時だ。結い上げるのに一時間もかける髪がオフィスで美しく見える訳もないのだから，そんな髪に憧れてはいけない。美しいということは，鏡に自分の顔だけを映して美しいと思ったのが何より美しいのではなく，一番良く似合いオフィスの雰囲気にも一番適っていることだ。やたらにピンをたくさん使ったりしない早くて形よく，そして個性をもった髪を研究してほしい。

若い人の髪飾りの中で，もっともそれらしいものはリボンだと思う。

花を髪に飾るのも若い女性の好みではあるが，花は「女」の，そしてリボンは「少女」の感覚である。

だからリボンを頭に結べば，いくつになってもその人の心の底に残されているあどけなさが，思いがけなく浮かび上って若さが輝いて見えるのだけれど，それも結び方如何で，下手に結べば月並な少女趣味に陥ってしまうものである。

若い人に
カレッジの髪
オフィスの髪

2

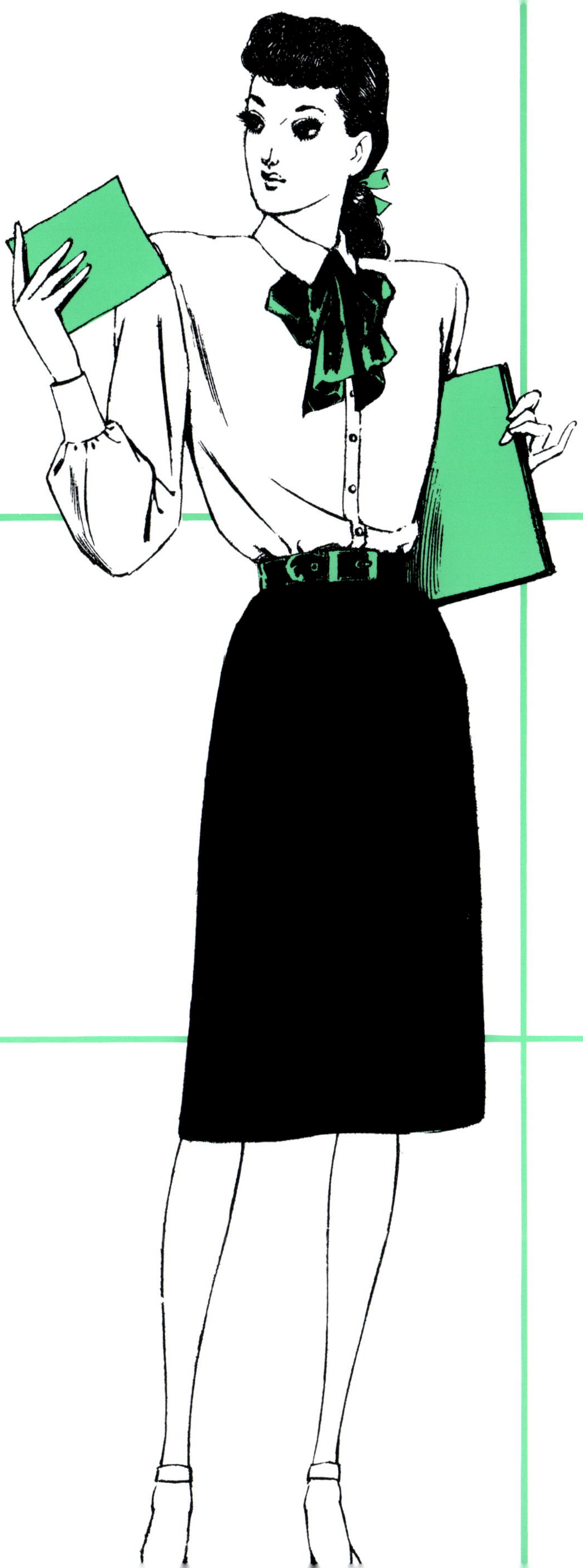

普通に美容院で結う髪といえば，結い上げる種類の髪であって，美しくとかした髪ではない。だから若い人のよそ行きの髪ではあっても，カレッジやオフィスの髪とはいえないものである。風が吹いてもちり毛一本出ないようにぴったり固めた髪は，躍動する美しさをもつ若い娘のものではない。

颯爽と歩を運ぶたびに髪が揺れるような，そしてまた風が吹くたびにサット乱れては，すぐ元の形にかえるような，ごく自然な生々した髪の姿でありたい。

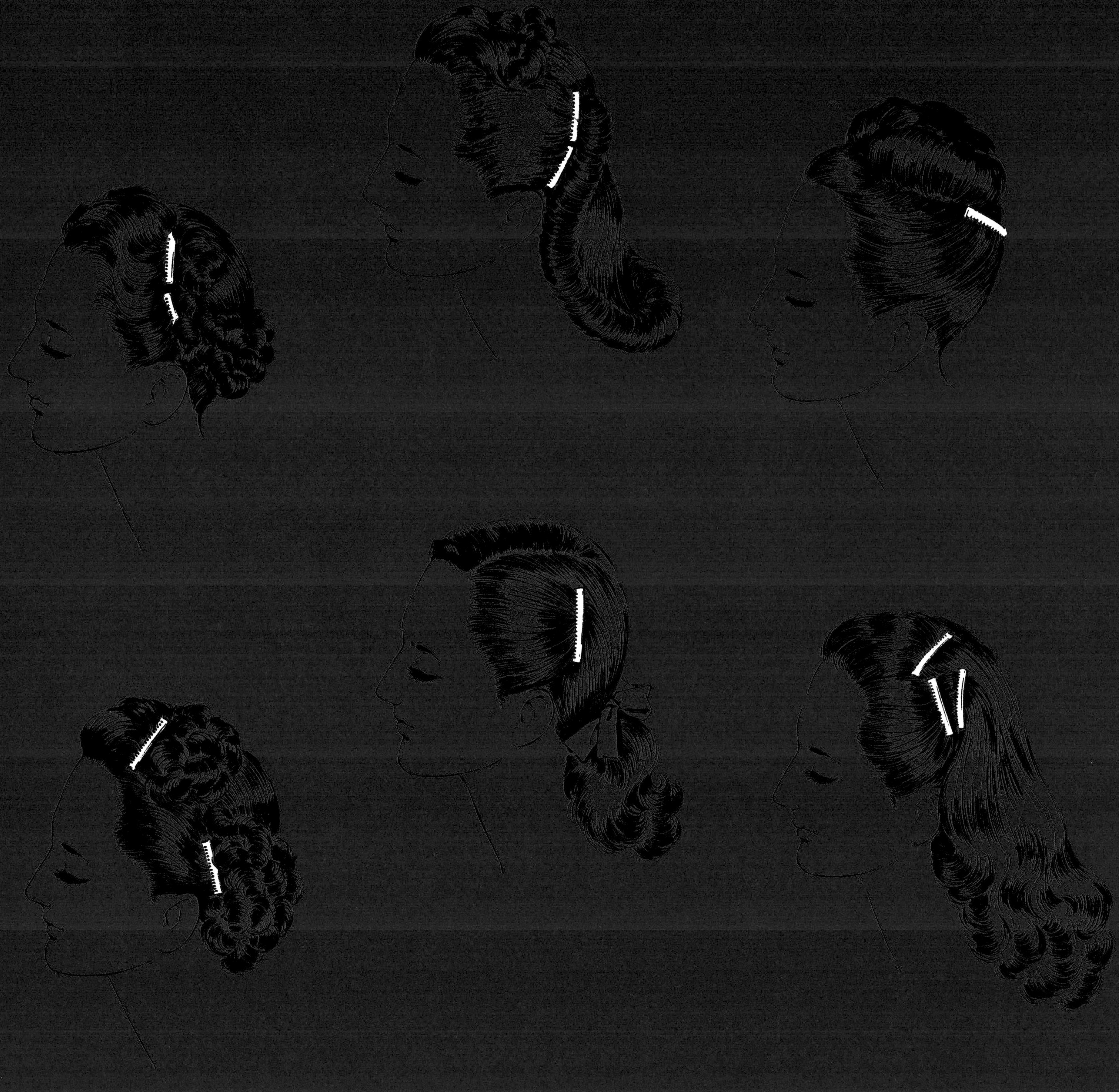

櫛を飾る髪

日本髪では櫛は主要な装飾になっています。もっとも外国でも、櫛を装飾として使うという習慣にありますし、またそれが流行した時代もありましたが、長い時の推移の間に、次第に櫛を髪飾りとしては使わなくなってしまって、櫛を髪に挿すというだけでも、何か古風な感じを与えるようになって、櫛を髪をとかすという実用の面にのみ使われていました。その理由としては、長い毛を結上げた時代が去って、断髪の時代に入ったため、短い毛に櫛を挿すということが見た目にも大変不安定な感じだったから、いつのまにか用いられなくなったのでしょう。

しかし最近、髪が女らしく長くなって来て、アップスタイルが流行の王座を占め始めたかのような感のする時、櫛を飾るということもいく分復活して来ました。

そうなってくると、ここで櫛を思いきって装飾的に使ってみることも考えられる訳です。それは、大きな櫛を一つ挿すのでもよし、小さな櫛を幾つも挿すのでも良いのです。掻き上げた毛を留めるにも、色消しな黒いピンを控え目に使うよりも、美しい櫛で装飾と実用を兼ねる方が自然だとも考えられます。櫛の色も、今までの常識でばかり考えないで、赤、緑、黄色などいろいろなものが欲しいものです。

小さな七色の櫛を、髪のあちこちに挿してみるなど、どんなに愉しいことでしょう。あなたの夢がそのまま美しい虹となって黒髪にかかっているような。

髪の遊び

前の髪の上に大きめの花を一輪に、緑の葉も添へて飾る。生花でもよい。

前髪を中央から分けて上にあげて、感じを変へたもの

1

2

3

123は同じスタイルを前、横、後から見たところです。若い娘さんにも向く様なこのスタイルは、後から両脇が纏いて艶々と、かき上げられてゐて、前髪だけが捲毛をつくつて変化をつけてゐる面白さです。この一つの髪型に花やリボンで華やかさを添へたり、年齢や、感じを変へてみました。

前髪を一ツにまとめて上にあげるとこんなになる

前髪のカールの中にうづめる様に小さな花束を飾る。花の色が京色にならぬ様に。夜の会のために

横の搔上げられた髪のかげに小花をつらねる。夜の會合のために。和服でもイヴニングドレスにでも

リボンは大きめのもので色は派手にならない様に黒、又は濃色がよい。こうすれば若いお嬢さんの髪

髪の手入れについて

山野愛子

いつも清潔な美しい髪をしている事は女性にとって一つの誇りです。私達はちょっとした注意によっていつも美しい豊かな髪を持つ事が出来ます。ばさばさのほうけ髪がまずしい取乱した心を現わしているように、調和よく整えられた手入れのよい髪は、気品ある床しい心のシンボルともいえましょう。

まずその手入れの方法としては、適度の洗髪、油分の補給、地肌のマッサージ、ブラッシング等で、これらの方法を適当な機会に怠りなく実行して頂ければ、どなたでも艶やかな美しい髪を誇ることがお出来になるのです。

何故洗髪は度々しなければならないか、これは髪の構造を知って頂けば一層よく解ることですが、普通私共が髪の毛と呼んでいるのは、植物でいえば幹に相当する部分でこれを毛幹とよび、根に相当する部分は毛根といいます。毛幹は鱗片状の毛表皮と、その下の皮質と、中心の髄質から出来ていますが毛根の先のふくらんだ部分は毛球といって、そこから毛の養分を吸い上げ髄質を通って毛全体を養う仕組みになっています。もし髪を不潔にしますと垢やフケのために毛孔を塞いで、養分の吸収を悪くし病的な抜毛の原因となったり、毛表皮の間に垢がたまって髪全体が艶のないばさばさ髪になったりしますから、少なくとも冬は月三回、夏なら週一回位の割合で手まめに洗髪なさることをお奨め致します。

洗髪料は、昔ながらの椿の実や山茶花の実の搾り滓など、或はふのりに少量のメリケン粉を混ぜたものなど結構ですが、シャンプーや石鹸を使う場合はなるべく手がヌルヌルする程アルカリ性の強いものは避けて、良質のものをお使い下さい。そして濯ぎ湯には甘橘類の搾り汁、或は酢または酢酸など少量入れて、アルカリ性をすっかり中和させることです。細いバサバサの毛の方は根気よくこの方法を繰返してごらんなさい。見違える程細いしなやかな毛になります。普通のシャンプーの仕方はどなたもよく御存じの事と思いますが、毛髪は決して揉まないように、根の方から毛先の方へ指先を入れて静かになで下し地肌だけをよく揉み洗うようにします。なお濯ぎを丁寧にし最後の濯ぎ湯は必ず前記の方法で酸類を用いて下さい。

オイルシャンプーはパーマネントのシャンプーに最も理想的なものです。フケ性の方、毛の細い方にもおすすめ出来ますし、パーマネントのかかり過ぎでチリチリに痛んだ毛の方など、度々このシャンプーをなさると毛の恢復を早めます。その方法は、良質の植物性油を手に入れてこれを温め、脱脂綿或はスキ毛にふくませてよく頭の地肌にすりこんで後、二三回蒸しタオルを取り換えてスチームします。前の晩にこうして寝み、翌日になって洗髪しますと油が充分地肌に吸収され、しっとりしたうるおいが出ます。この方法を簡単に済ますには、指先に油をつけて地肌をまんべんなくマッサージするだけでもよく、これを洗髪の度に行うと毛根を刺戟して新しい毛の発生を促します。オイルシャンプー月一回、オイルシャンプー週一回位が適当でしょう。

春は汗のため毛髪の汚れもひどく、夏はまた汗をかくので洗髪の回数は当然多くしなければなりませんが、もし何かの都合で洗髪の延びた時などは、ブラッシュが毛をはさんだ頭でいく汚れをとり、熱湯で絞ったタオルを縦三つ折りにして頭の鉢にぐるっと巻きつけ、指先に力を入れてぎゅうぎゅう地肌を拭き、ベーラム類を地肌にすり込んでおくとさっぱりします。

秋の抜け毛は生理的な新陳代謝で心配はいりませんが、身体の栄養状態と関係が深いものですから、夏の間つとめて脂肪分をとり栄養に注意しますと秋になってからの毛の抜け工合がかなり違います。大体毎朝の抜毛の内、三分の二以上が十五センチ以上の長さなら心配ありませんが、短い毛が多いのは病的脱毛ですから、洗髪、マッサージ、オイルシャンプー等のお手入れをよくして恢復をはかりましょう。

普段のお手入れとしては出来るだけ毎日ブラッシュを使って毛の埃をとるように致しましょう。ブラッシュはなるべく毛脚の長い良質のものを求め、毛を細かくとり分けて裏表とも丁寧にブラッシングします。ブラッシュは独特の刺戟によってマッサージの代用にもなり、毛に弾力を与えますので剛い毛はしなやかになり、反対にねこ毛は却ってこしのある強い毛になります。ブラッシュのない場合は目の荒いすき櫛でも良いのですがパーマネントの毛は傷み易いので余りおすすめは出来ません。尚以上述べた洗髪、油分の補給、ブラッシング等のお手入れに関連して是非識っておかなければならないのは御自分の毛髪の性質です。剛い毛、柔らかい毛、その中間の毛、貴女の毛は一体そのどれに当っているでしょうか。また肌に荒性、脂性があるように頭髪にもやはり同じ状態があてはまります。

乾性の肌は地肌も乾燥し易く、始終カサカサフケの出るような方は度々のオイルシャンプーでフケを押え、中性の肌に変化させる事です。反対に脂性の湿性の肌は新陳代謝が悪くすぐに悪臭を放つ事があります。こういう肌はベーラムの類を常用してなるべく皮膚を乾燥させて下さい。剛い毛の手当にはオイルシャンプー、酸性のリンスブラッシング等よい処方が沢山あります。なお剛くて太すぎる毛の方は、軟かみを出すためにオキシフルシャンプーで軽く漂白する方法もあります。これは普通のシャンプー液にその二分の一のオキシフルとアンモニア水十五滴位まぜたものを用意し、予め水でしめした頭髪を約十分位この液にじっとひたしておき、あとでよく洗い上げます。柔い毛の場合、パーマネントは剛い毛よりは無難ですが、まめにブラッシングしている中に幾分しっかりした毛になります。この毛質には赤毛の方が多いようですが、もし乾性で赤毛を気になさるのでしたら、クルミの実をすりつぶしたものを目のこまかい布に包み、頭の地肌にすり込みよくマッサージしてごらんなさい。それから胡麻とか海草類をよく召上って、——多分近からず効果が現われましょう。

なおパーマネントのかかりすぎとか、悪いシャンプー料を使った場合などのひっぱるとプツプツ切れてまるでワラのように弾力のない毛になることがあります。チリチリになる程強くかけると結局毛を痛めてロクなセットも出来ない事になりますから、パーマネントをかける時は何時もかけすぎない事が大切です。ロットをはずした時しっとりはずみをふくんでくるくる螺旋状になるのは快適な状態で、かかりすぎた時はカサカサになって毛に弾力がなく、伸ばすとW字状になります。此頃パーマネントはかけすぎないで二か月位もつようになどともいわれますが、快い状態にかかりますと普通四か月は保つものなのですから、かけすぎにならぬようしかも永く保つようにおかけになる事をおすすめします。機械や薬品も戦前の水準に戻っているのですから後は技術の問題なのです。かかりすぎた毛はセットも利きませんのでなかには巧くかからなかったように思い違いして、又パーマネントをかけるといった無理をなさる方もおありのようですが、この状態のままではいくらパーマをかけても無駄ですから、しばらくの間は、以上申し上げたようなお手入れをして、痛んだ毛がすっかり元に恢復するのを待ってからおかけになる事をおすすめ致します。

注■この文章は昭和23年当時のものです。シャンプー等の性能は現在では全く事情が異なりますが、当時を振り返る意味も含めてそのまま掲載いたしました。

髪のコンクールより

一九四七年五月、この月パリで結髪のコンクールが行われました。各国から優秀な美容師が集まって、金髪、黒髪、栗色とさまざまな髪をもつモデル達を前にして、日頃の腕に縒りをかけて技を競ったのです。

この日、集まった美容師はいずれも男性ばかりでした。パリなどでは男性の美容師はちっとも珍しくないばかりか、むしろ一流の美容師の地位は殆ど男性が占めているのです。この点、日本で昔から袴や裃などの良い仕立は、男の手になるといわれているのに通じるものがあります。

それなのに、今日考えると、男性の美容師がちょっと珍しく感じられるのは、一つには、女性の装いの面は、女性が受けもつものという考え方がわれわれ日本人の頭に浸みこんでいるためでしょう。

おそらくフランスを始めとして、欧米方面では、一芸に秀でた人がたずさわる職業には、男性も女性も区別はないのでしょう。

そのように一つの技というものを自由な眼で鑑賞することが、時に単なる髪形をも芸術の領域に近づけるのではないでしょうか。

ここに、そのコンクールの中から、十五のスタイルを選んでみました。

ところでこれはどの場合にもいえるのですが、コンクールなどというと、非常に技を競うため、一般に結えるようなものが少なく、一つの作品としてのみ見られるようなものが多いのです。そのため、日本ではもちろん、あちらでも特殊な人達の着る特殊なイヴニング・ドレスの場合でもなければ結えないものですが、ともあれ参考までにかかげてみました。

1、スペインのマンテリヤ風に、大きな髪飾りからヴェールが下っています。日本人向としては考えられません。

2、やわらかな金髪を結上げるにはもっともふさわしい、美しくやさしい女らしい髪。結上げた頭の後の、残してあるような毛の上に、忘れな草が飾ってあります。

3、これはコンクールで一等を獲た髪です。大きな金髪のうねりと細かな捲毛とをうまくモンタージュして後に長く張ったスタイルは古代ギリシャの絵に見るようなシルエット。

4、真黒い毛で結い上げられていました。黒髪にふさわしいスペイン調。一輪の真紅の花が黒髪に映えて、いかにもスペイン情緒を漂わせています。

5、これは普通に、日本人がそのまま結える髪だと思います。

6、これも日本で結ってみると面白いもの。

7、金髪の上に黒い毛のかもじで、大きく桃割れのような付け髷をしてあります。これは色んな色彩の髪をもつ人種のみにゆるされた面白さです。

8、虞美人を連想させるような髪形。

9、奇を狙っただけの髪ともいいたい。後に鳥の羽根を大量に飾り立てて、頭全体が生きた鳥を思わせます。

10、日本髪に通じる構成で、両わきに挿した花がとても印象的です。

11、これまた古代ギリシャの人物に見かけるようなシルエットで、一等賞を獲た髪と似ていますが、もっと無造作なやわらかい感じ。

12、日本人にも結えそうなアップスタイル。

13、これは平常向と称されているものだけに、確かにそのまま誰でもが結えるでしょう。

14、花園のような、夜会向きの髪です。

15、余り良い趣味とは思えません。金の蝶々を飾ったデコレーションの髪です。

1

2

3

4

5

6

7

8

9

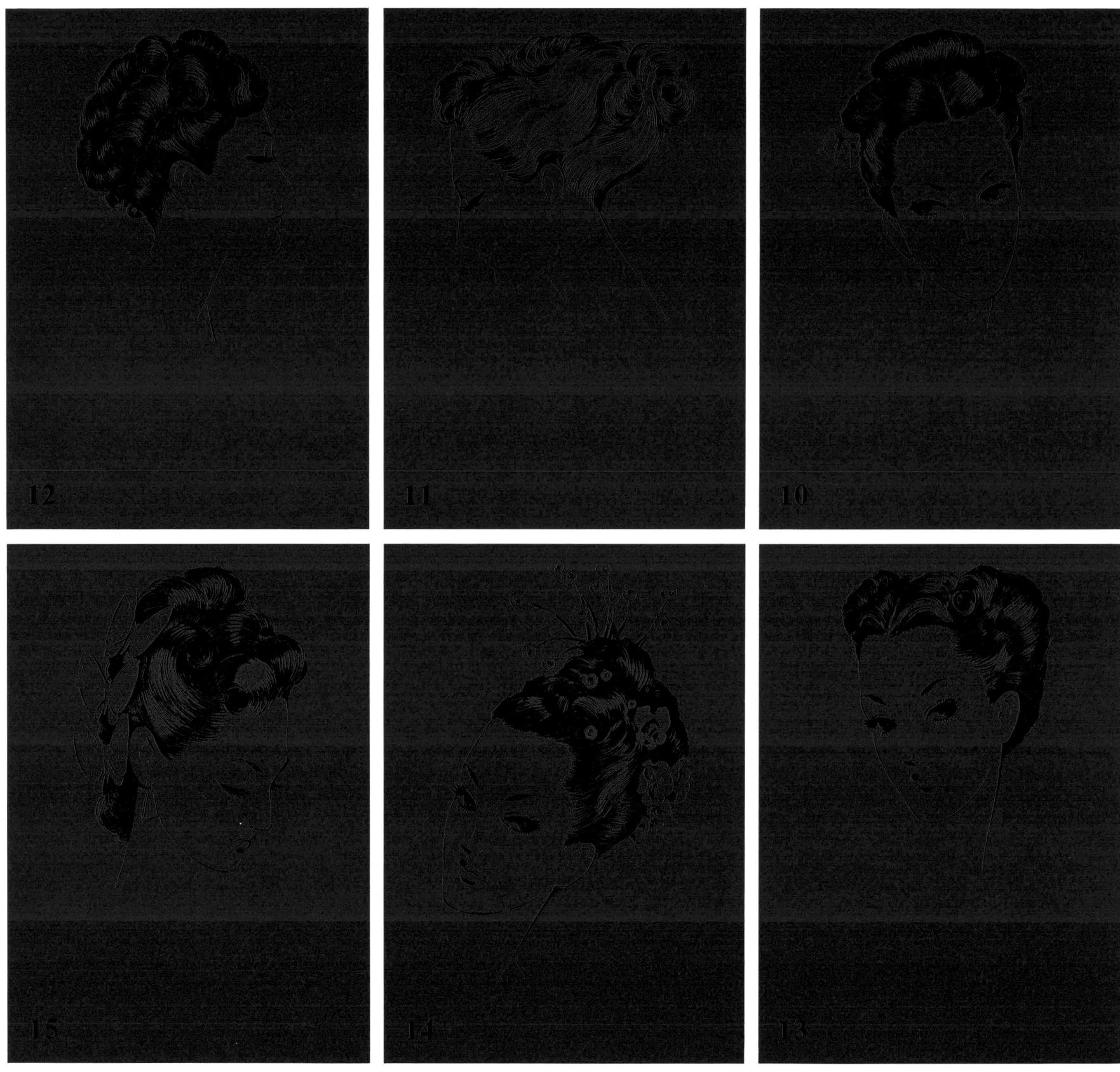

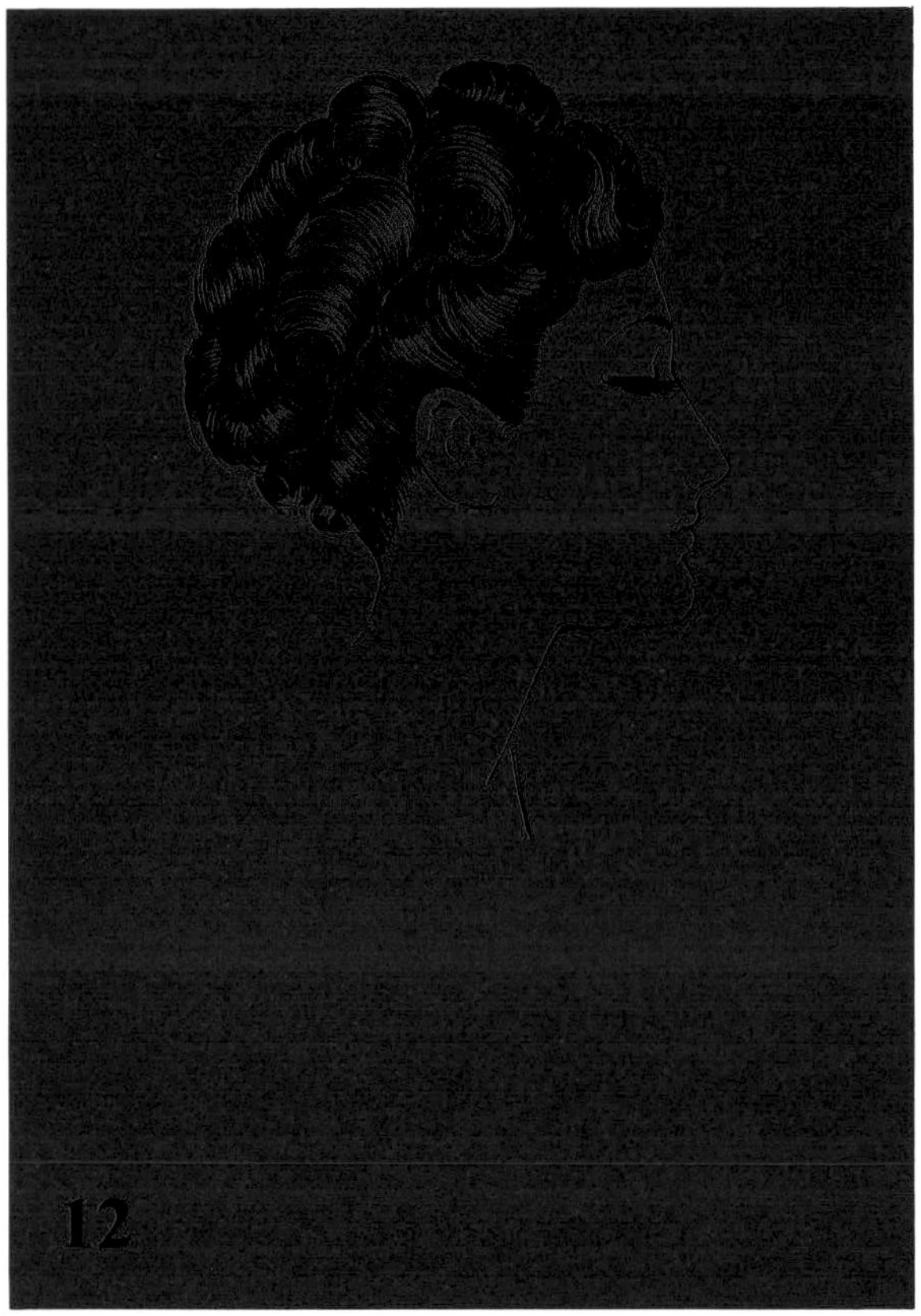

12

11

10

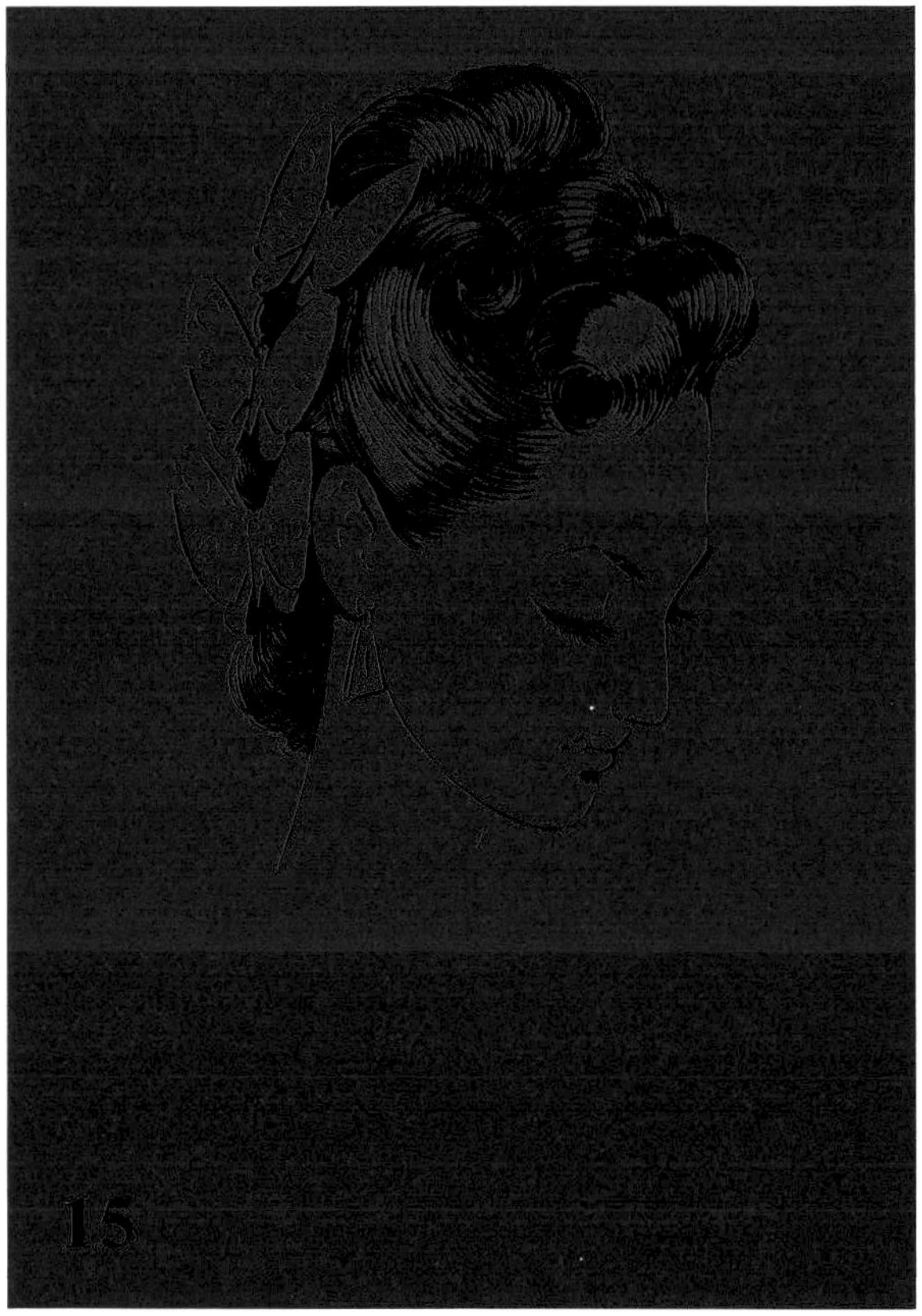

15

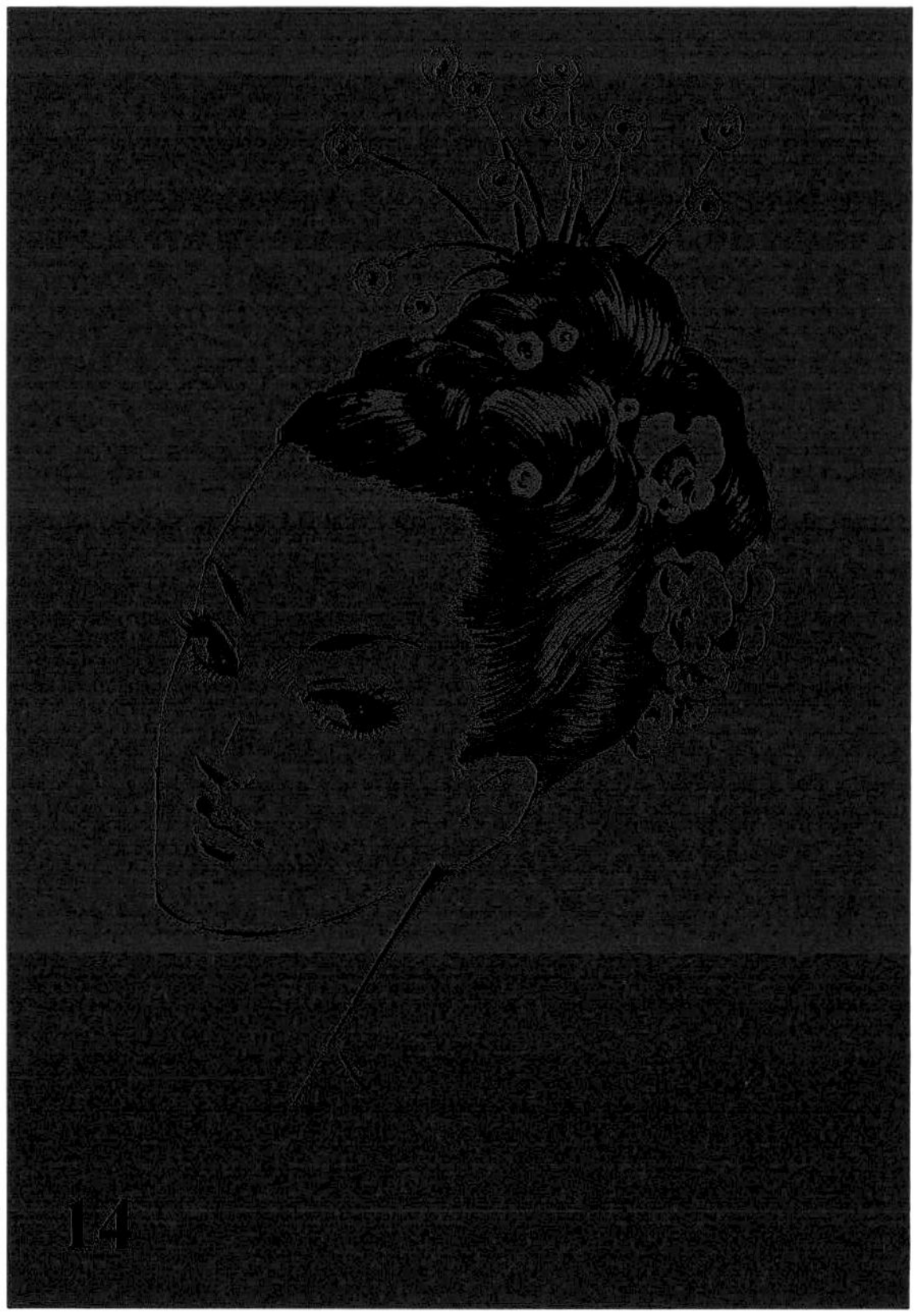

14

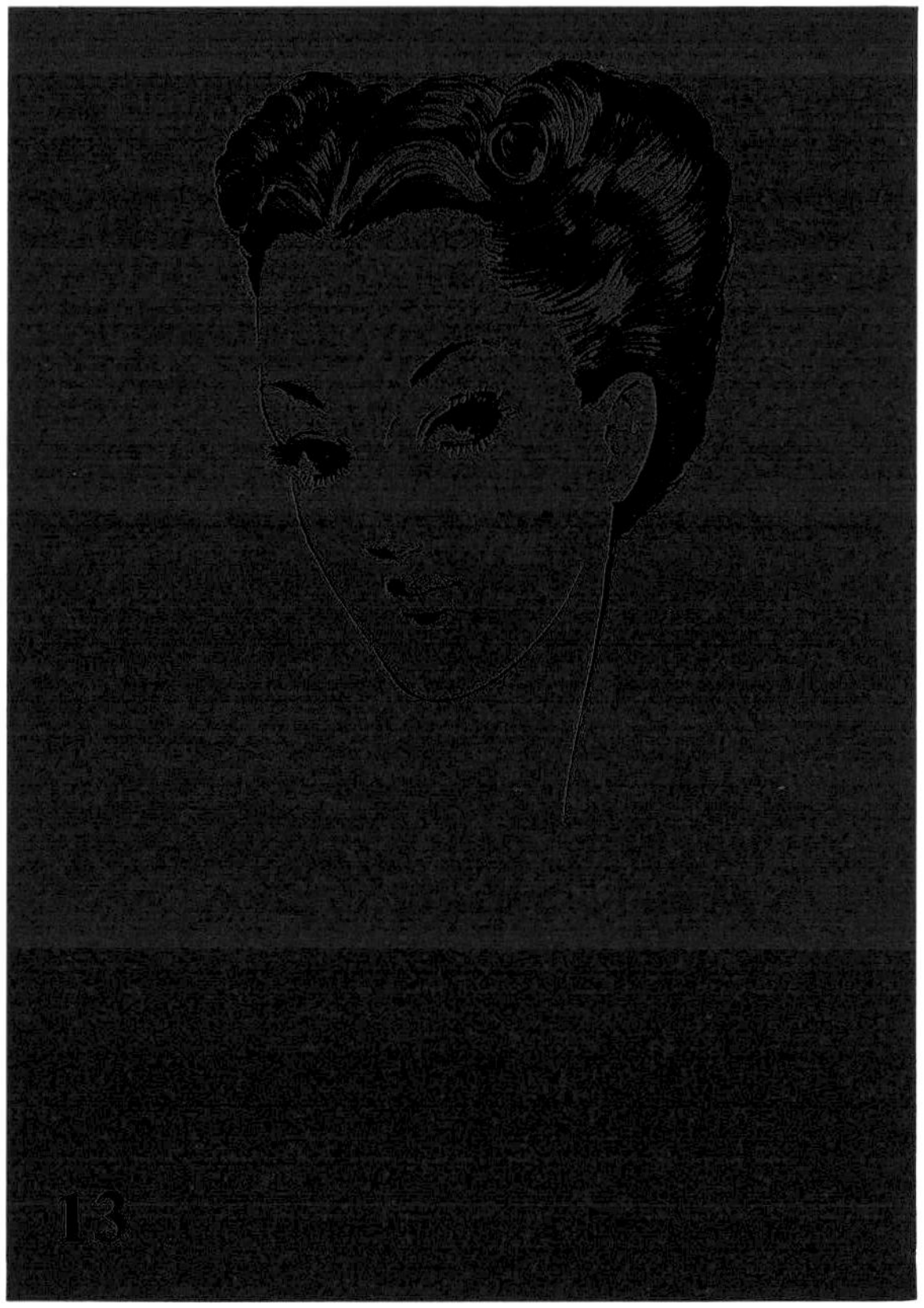

13

昔の髪の匂ひ

新春に日本髪に結うことは、今の時代では考えられない。しかし新春だけでも結おうという習慣は残っている。純然たる日本髪にも、それはそれなりの美はあるが、短いパーマネントをかけた毛では、鏝で延ばしたり、付け毛をしたり油で固めたり大変で、若い人の気分にぴったり来ないのではあるまいか。ここでの試みは、短い毛を多く見せるための赫熊《しゃぐま》と、数本のピンだけで結える、日本髪の情緒を取入れた髪である。結い方さえ分ればすぐ結えるはずである。生え際にちりかかる毛や、ごく短い毛をチックかポマードでちょっと押えるだけ。したがってパーマネントの癖が残ったままなら、かえって柔かく近代的で面白いだろう。ロールの一つ一つに赫熊をたっぷり含ませてあれば、少ない毛でも相当大きく結える。これは、前から見ると日本髪の感じで後から見るとアップヘアの感じをもたせた髪。鬢に当る横の毛も赫熊を含ませ形をつくるが、掻き上げた後の毛も同様である。花は生花だがこれほど飾るのが気がひけるなら、一輪か二輪飾っただけでも別な美しさは出ると思う。

櫛や笄や手絡などを、しみじみと眺めていると、過去の日本の女の匂いが、かなしいまでに匂ってくる。けれど、新しい時代から忘れられていくそれらのものへの愛着が、ときおり郷愁のようにあなた方の胸をかすめていくことはないだろうか。そうした気分を、新しい感覚で味わってみるための試みとして考えてみた。最初のは、みずみずしい丸髷に結うくらいの年頃の人の髪で、若い奥様に結ってみて欲しい。もっとも、可愛い人が赤い手絡でやったら若いお嬢さんにも向くであろう。

これは桃割のような感じをもたせてみた。古風な少女らしいあどけなさを、やさしい夢のようにそっと近代の味に移してみた。前髪を切り下げてみたけれど、これは好みによって、下げても下げなくとも良いのである。手絡の色も、その人々の好みによってちがえたらいいし、そうすることでそれぞれちがった年齢にふさわしいものになってくる。もちろんこれは手絡とは限らない。例えば、ちりめんの小布でもいいが、ただし、その場合はどこまでも日本風な感じの布でなければいけない。

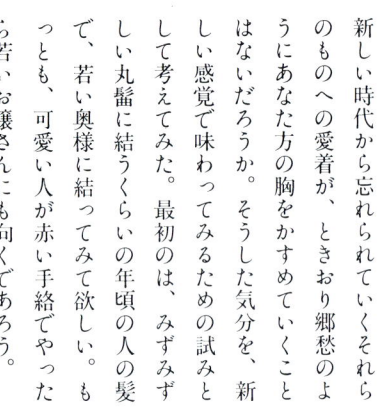

明治時代まで、わりあいによく結われた少女風な髪で、お煙草盆というのがあった。それともう一つ、これはやや粋向きの髪で、夜会巻というのがあった。ここでは、その二つのシルエットを取りいれて、一つの新しい髪にしてみた。前に櫛を挿すと、もっと日本髪の感じが強くなるが、布をかけるのをやめて櫛だけにしても、変った趣きが出てくる。かんざしの反対側に生花をつけるだけでも、清楚な美しさが生みだせる。そのときどきの気分本位で、とらわれない面白さを味わって欲しい。

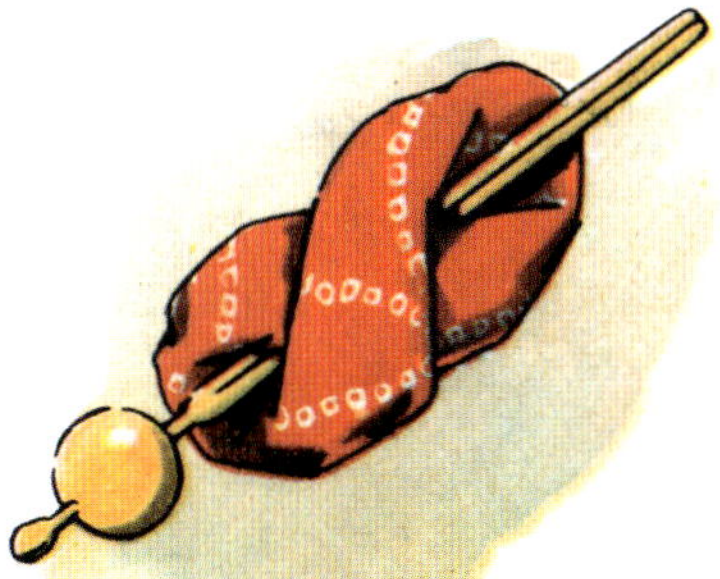

結綿のもつ娘らしい華やかさをとり入れたもの、とでもいったらこの髪の感じが分ってもらえるだろうか。ただしこれは若いお嬢さんでも、また奥さんでもいい。そこに結綿などとちがって、年齢や身分を限られていない自由さがある。前髪のうしろにかんざしを挿して、それに8の字形に手絡をかける。この色は何でもいいが、もし日本趣味の濃い和服の場合だったら共布にしてみるのも面白い。頭の上に飾った花が無ければ、ぐっと渋い日本髪風になり、あれば近代味の強いものになる。

振袖の髪

この四つのスタイルは、和服の振袖を着た時のつもりで考えてみた。

振袖は若い娘の生活のなかで、もっとも絢爛たる場合に用いられる性格をもっているので、布地といい染めといい金銀の刺繍や、模様の置き方一つに至るまで、華麗をきわめているにもかかわらず、髪は普段結われているのを少し派手にして、花飾りをつけることぐらいの工夫しか凝らされていない。着物が普段着と振袖と全然性格を異にしているのだから、髪の形なども、ただ派手に結うというのでなく、性格の相違がはっきり出ているように考えたいものだ。

その一つの試みとして、十八世紀頃のヨーロッパの貴婦人の衣装が日本の振袖のもつ華麗さと通ずるものがあるので、その貴婦人達の髪形をお嬢さん向きに近代化してみた。

これは結婚式の披露で色ものの振袖を着た場合に試みてもいい。洋髪の結婚式は淋しいと普通考えられているが、それは自分達がふだん結っている髪だけを洋髪と考えて、それ以外の工夫をしようとしなかったからである。いつでも各国を通じて流行している髪は、その時の洋髪につり合う髪の形で、振袖という全然異なった衣装に対してその髪がぴったり合うかどうかは請合えないのだから、振袖という日本だけの華麗な衣装には、その時の流行を加味しながら、その華麗さに負けないものを工夫しなければいけない。

おさげの変化

お下げという言葉は、少女の髪というような響きをもっているが、「甘えたような可愛らしい」少女らしさではない。それは素朴である故に、少女の髪として選ばれたものであろう。

戦争が終って、優美さを愛するようになると、女の毛が長くなり必然的にお下げが流行の髪型の一つになってみると、お下げは少女の髪とだけ決められないものだ。

若いお嬢さんが後できゅっとお下げに結んでしまうと、若さに甘えないで清楚な華やかさが見られる。

大人がお下げに結うと、甘ったれた若さの不自然さでなく、その人のもつ可愛らしさがもっともつつましい華やかさになって現われてくる。

最近、お下げの根が段々に高くなって、極端なものには、幕末の志士を思わせるような形もある。そうした形から、何か新鮮なものが感じられる。ここにはそういう根の高いお下げの形を三つほどかかげてみた。

1，前髪は，自分に似合った形にするのがいちばん良いだろう。そうして，残った毛の全部をまとめ，根を高くとって，縦ロールをつくる。

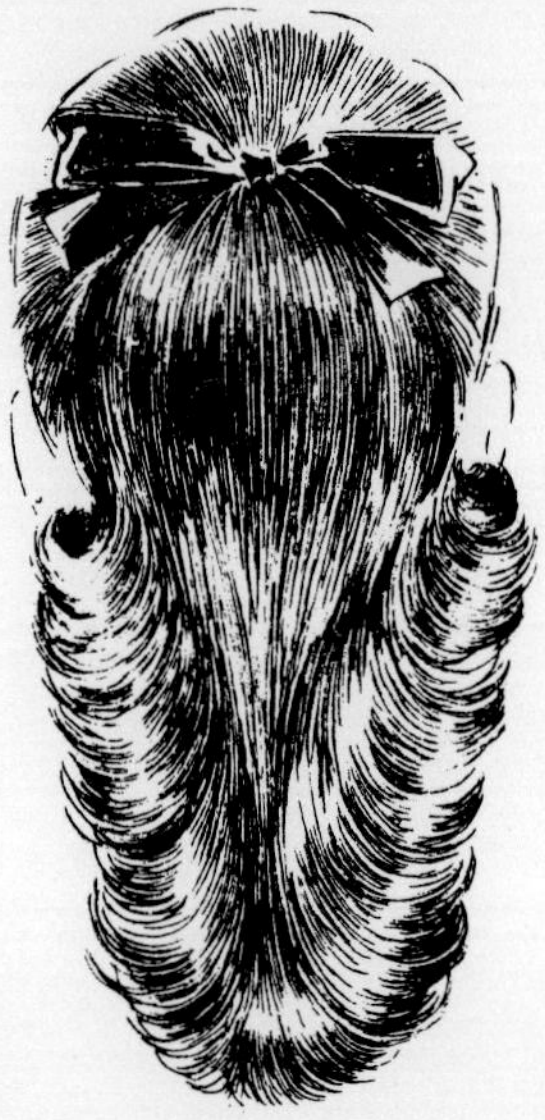

2，長い毛を軽く内巻にし，出来るだけ高く根をとり，キリッと結んだだけのもの。内巻が大きくU字形に形づくられるようにして欲しい。

3，長目の髪を外巻に形づけておいて，少し高目に根をキュッとしばる。この味は，前髪を飾らないで，うしろの美しさにポイントを置く。

お化粧の四季

マヤ・片岡

☆季節と化粧の変化

ヒフは、貴方自身の身体に息づいている微妙な生活体です。

それ自身呼吸したり（皮膚呼吸）老廃分泌物を排出したり、外気の寒暑に応じ体温を調節して、外界の環境、刺激に従って時々刻々に変化しながら生理現象を営んでいる、貴女の愛すべき生きている細胞なのです。

外気が急に寒くなるとヒフの組織は緊縮して『トリハダ』になり、暑くなるとヒフは弛んで汗を出し、身体を冷します。

この様に、季節の寒暖の変化は、直ぐにそのヒフの表情に現われるのです。

だから、四季の変化によって、ヒフの基本マッサージや、お化粧に大切な化粧下地（整肌法）の方法や、従ってお化粧技術までが変り、更にまた光線や衣装の変化によって、化粧の色や調子が変ってくる事も当然でしょう。

春の化粧

春になって、気温が暖かくなるにつれて、一般に人間の生理作用が旺盛になり、内分泌も多くなり、皮脂の分泌が盛んになるので、ヒフの脂も美しくなってきます。

皮脂腺というのは、御存知でしょう。

毛の毛根のわきにあって、そこから皮脂が分泌してくるので、この分泌が過ぎると、ニキビや吹き出物の原因となり、反対に少なすぎると、カサカサに乾いた肌になるので、誰でも、この分泌が多すぎる傾向があるのですから、就寝前などによくヒフをマッサージして、皮下組織の新陳代謝を盛んにし、皮脂の過剰な分泌を[illegible]なければいけません。[illegible]の方の皮脂の分泌の多い方は、そんなわけで、特にその化粧下地を注意して行わなければいけないので、就寝前に、よくヒフを[illegible]マッサージして、[illegible]の過剰分泌を[illegible]脂肪[illegible]の[illegible]、便秘胃腸病等、身体の障害を治療する事。

お化粧前には、微温湯でよく洗顔し、ヒフを清潔にする事。

次にアストリンゼントローションをつけ（化粧水は大抵の方は半々に割り合せにしてつけるとよい）これは脱脂綿につけて、ヒフを拭く様につける方がよい。この方が経済的でもあり、又効果的でもあります。化粧下地のクリームは、ヴァニシングクリームまたはファウンデーションクリームを極く少量つける事。つけすぎてはいけません。

尚、アストリンゼントローションの事をついでに述べますが、これをつけると、ヒフの毛孔を閉じ、皮脂の分泌も[illegible]という風に広告している化粧品もありますが、あれは嘘。

元来ヒフの上からつけて毛孔を閉じる事は出来ない事ですし、またそれ程の収斂作用がある様な危険な劇薬です。

これは、明礬、タンニン酸、グリセリン、硼酸等を主剤とした化粧水で、脂肪性の方の化粧下地に好適なものですが、さりとて過信は禁物です。

☆『春』の色調

冬の間は、周囲が暗く、重いので、化粧は強く、明るく強め、ヒフより白っぽい位の化粧でも[illegible]るのですが、春になって段々と光が自然に明るく美しくなってくると、白っぽいのはいけません。

白粉の色は、一番貴女の肌の色に近いものを選んで下さい。

濃すぎるものは、季節に合いません。オークルローズ、ランシェル等の軟かな調子のものがそのままの色調でしょう。

白粉類は出来るだけ淡くして、明るいライト系の紅で清新な美しさの効果を出すのがよいと思います。

☆ニキビの春

春になって私の所へ急に増えてくる患者の質問はニキビ、吹き出物の手当法です。

ニキビは、前に述べた様に、皮脂の過剰分泌の為に分泌口がつまり、そこに化膿菌が入って起るのですが、ヒフの抵抗が弱まっているので細菌に侵され易いから、其他に、胃腸の障害、便秘、月経等も原因になるので、注意して防いで下さい。食物はアルカリ性食餌がよく、新鮮な野菜、果物を摂り、毎朝晩、食塩を少量入れたコップに一杯宛の水を必ず飲んで下さい。他に、ホルモンやヴィタミン療法もありますが外用剤では、硫黄剤が昔から効果がある様です。処方は左の通り。

精製カンフル	一・〇
アラビヤゴム末	二・〇
沈降硫黄	三〇・〇
アルコール	二〇・〇
ローズ水（或は水）	一〇〇・〇

尚、ニキビが悪化している時は、我慢してお化粧は休んで下さい。朝晩のマッサージ、赤外線、紫外線の光線療法は効果があります。

☆梅雨時の化粧

春から夏への過渡期に梅雨期があるのは憂欝ですね。

この暗い雨の季節には、お化粧は明るく暖かな感じのピンク、ローズ色を主調としたものにして下さい。

夏来る

秋
貴女が一番美しい季節

冬の色彩

化粧法も、単調な調子に終らず、紅、アイシャドーなどにいろ〳〵な変化のある効果を狙ってみたらキット面白いでしょう。

お化粧の前の整肌法は、この季節には特に大切です。寒さでヒフがちぢかんで皮下組織の活動も鈍くなっているので、蒸しタオル、オイルマッサージ等が、必要です。

植物油を二重鍋で暖めてするオイル、マッサージが面倒なら、良質のコールドクリームを掌にとりその掌を火鉢の上にかざして、クリームを熱く温めて、それで顔をマッサージすれば簡単です。とにかく、こうしてヒフの手入れをよくして、化粧下地を造っておかないと、化粧が上によくのらず失敗します。

それから手の荒れも早く治して下さい。

顔が綺麗でも手が荒れすさんでいては、ゲンメツです。

就寝前に熱いクリームでよくマッサージし、そのクリームを拭きとらず、古手袋をはめてそのまま寝む方法を、数日間続けて御覧なさい。手の荒れは早く治ります。

☆『粉化粧』のコツ

ここで一つ――これは、もう皆様よく御存知の事だと思うのですけれど、念の為に日常一番利用される粉化粧の順序とその秘訣みたいなものをちょっと書いてみましょう。

まず簡単に順序から。微温湯で石鹼洗顔し（或はクレンジングクリーム洗顔）次に、脂肪性肌と中性肌の方はアストリンゼントローションを、乾性肌（荒れ性）の方は乳液を、それぞれ脱脂綿につけて、よくつけます。これでちょっと時間を置いていただけば尚結構ですが出勤等の事情ですぐ化粧を続けるお方は、次に化粧下のクリームをつけます。

脂肪性中性肌の方はヴァニシングクリーム、乾性肌の方はコールドクリーム（ファウンデーションクリームは、万人向です）の、いずれも少量を、ムラなく丁寧に掌でのばして肌にすりこみます。

よく延ばさずクリームがムラについていると白粉もムラにつきますから御注意。

ガーゼで余分のクリームを拭きとり、パフに粉をタップリとつけて粉を押えつける様な気持で叩いて行く（パフで、こすってはいけません）

次にフェイスブラッシュ（或は新しいパフ）で余分の粉を払い落します。

次に、掌に化粧水の少量をとり、すり合せて、その湿り気で顔全体を軽く押えます。すると粉っぽい感じが消えて生地からの美しい色体に、落ちついてみえます。

粉化粧に、『粉っぽい感じ』は一番下手の証拠なのです。

頰紅は口紅と同系統の色調を選ぶ事。

ただし頰紅の濃いのは下品で田舎っぽく見えるので、極く軽くつけて下さい。健康な若い女性なら、頰紅の無い方が、むしろ近代的な位です。

口紅をつけたら唇で紙を二三度咬えてみて、余分の紅をよく除る事。つけすぎていて歯に迄紅がついていたりするのは醜態です。

眉は、適宜に剃り、黒か、濃褐色の眉墨を入れ（これも、このままでおくと不自然だから、化粧水を眉筆につけて、上から押えて眉墨をおちつかせておくとよい）睫毛は睫毛墨（マスカラ）をつけブリーアンチンを少し塗っておく事。

大体こんなものでしょう。

☆『昼』と『夜』の化粧法

昼と夜を同じ調子で化粧をしてはいけません。また同じ昼と言っても、

一、明るく晴れた、陽ざしの強い昼。
二、曇り日の朝。昼。夕方。
三、暗い風雨の日。

等で光線の量も違うし、また、夜と言っても、

一、家庭での夜。
二、訪問。招宴。
三、パーティ。観劇。等のシャンデリヤの下。

等それぞれの光線や、環境、それからお召物などに変化があるわけなので、従って、お化粧も、それぞれの条件に合せた変化がなければいけないわけなのですが、紙数も尽きたので、ここでは述べ切れませんので大略しますと、明るい光線の下では化粧も淡くする事。夜は光線が暗いから明るく濃くする事。勿論昼でも暗い雨の日などは明るく化粧する気持が大切です。

その他、お化粧効果に一番大切な問題は、自分の顔の長所、短所や、顔の癖を知り、魅惑的な個性的な化粧法を考え出す事なのですが、それはまた別の機会に述べたいと思います。

☆貴女の体質とお化粧の色

尚一番最後につけ加えておきたい事は、貴女のヒフや髪の色とを合せてお化粧品の色をきめて欲しい事です。

日本女性のヒフの色は、黄色、髪は黒とだけ考えないで明るい光線の下でよく見ると、いろんな複雑な美しい色が入っているのを見出して下さい。

ですから貴女がいつも使う白粉でも、紅類でも、たった一本を買ってきて、それだけをそのままにして使うのは随分智恵のない咄です。

粉なども、自分の肌の色を中心に淡いのと濃いのと三種以上を求めてきて、色んな割合に混ぜて御自分の色を造っておかれる様にして欲しいと思います。

ただし、白粉の色を混ぜ合せる時は、皿の上で混ぜる方が多いのですが、これではよく混ざらないし、匂いも飛んでしまうので、少量ずつを試験管の様な小型の瓶に入れ、蓋をよくしめて、充分に振って下さい。紅なども二三種混ぜて使えば唇に美しい陰影が出ます。

白人は、髪の色、瞳の色、ヒフの色、皆それぞれに違う（これは表皮の下にあるメラニンという色素の量によって淡くも濃くも、またいろんな色にもなっているのです）ので、それぞれに自分の体質に適合した白粉の色、紅の色、アイシャドーの色などが、よく研究されています。

貴女自身のヒフの色だって唇の色だって、ようく見れば、やっぱり他の人と多少の違いはある筈なので、ほんとうに自分の色に合ったお化粧品の色を、早く見つけ出す様に勉強される事を切望しておきます。

御参考までに、アメリカの美容院で使われているヒフや、髪、目の色に合せた白粉、紅、眉墨、アイシャドーの色の対照表を添えておきますから御研究下さい。

化粧法を決める身体の性質			身体の性質に適応する化粧法				
毛髪の色	皮膚の色	目の色	白粉の色	頬紅	口紅	眉	アイシャドー眼瞼(上眼瞼)
黒（黒檀色、黒褐色から暗褐色まで）	暗黄色（南国の色）	暗灰色から黒色	ラッシェル暗色 オトクル ビストル マウレスク	紫がかった赤帯黒色の赤青味のあるもの	紫がかった暗い洋紅	黒檀色の毛髪の場合のみ黒色、然らざれば暗褐色	淡紫色の混じた灰色及び青色の蔭
	蒼白のあせた明るい色	暗褐色	明るいラッシェル 黄色がかった肉色	紫がかった赤ズット明るいもの、明るい黒味ある赤	紫がかった桜色、或は活気ある赤(深紅色)	暗褐色	赤褐色を帯びた灰色及び青色の蔭
栗色（黒みがかった栗色）	中程度の色 淡い黄色	暗灰色及び色々の暗色	明るいラッシェル 黄色がかった肉色	明るい黒味がかった赤褐色がかった或は紫がかったパステル赤	中程度の桜色 多くの場合暗色を帯びた桜色	中程度の褐色（セピア）	褐色、灰色及び淡青色の蔭
	明るい色	明るい褐色	肉色を帯びたラッシェル 黄色がかった肉色	淡黄色がかった赤	淡黄色を帯びた明るい桜色	中程度の褐色（セピア）	少し青く、褐色を強く
栗色（中程度の栗色）	淡黄の明るい色	褐色 灰褐色	淡い肉色がかった明るいラッシェル	淡黄色がかった赤	全く淡く黄色味のある非常に明るい桜色	褐色	青色 青味のある灰色
	蒼白の褪せた明るい色	褐色	黄色がかった肉色	黄色味のある赤	明るい桜色	明るい褐色	青味のある褐色及び灰色の蔭
栗色（明るい栗色）	褐褪せた明るい色	緑褐色	赤味のある肉色 黄色を帯びた赤	黄色味のある赤 マンダリン赤	明るい赤色（明るい深紅色）	明るい褐色	青味ある褐色の蔭
	淡黄の暗色	褐色	明るいラッシェルから中程度の肉色	黄色がかった赤 マンダリン赤	明るい赤色（明るい深紅色）	明るい褐色	多少青味ある褐色 灰色
非常に明るい亜麻色(ブロンド)（プラチナ・ブロンド）	明るく褪せた乳色	灰色或は青色	赤色赤味がかった肉色	優美な赤	明るい桜色	非常に明るい褐色、赭土色、多少黄味ある色	特に青味ある蔭次に灰色(暗青色)
	淡黄の乳色	灰色或は青色	黄色がかった赤 明るい肉色	淡黄色がかった優味な赤	明るい桜色	非常に明るい褐色	赤色、青色及び灰色の蔭(暗青色)
中位の亜麻色(ブロンド)	明るく、褪せた乳色	青色或は灰色	赤味ある肉色 黄色を帯びた赤	マンダリン赤、明るい黄色味のある赤	多少黄色味ある輝かしい赤	褐色	青強く、灰色少なくちょっと褐色がかった色または赤色
灰色がかった亜麻色(ブロンド)	明るい色	青色 灰色 褐色	赤味がかった肉色	マンダリン赤 黄色がかった赤	明るい赤色	褐色	青強く、灰色少なく褐色を強く
総ての色合いの亜麻色(ブロンド)	陽に焼けた色（夏の色）	青色 灰色 褐色	中程度のラッシェル或はオークルまたはビストル	マンダリン赤	明るい赤色（黄色がかった色）	中程度の褐色	赤色、褐色、灰色及び青色(暗青色)
亜麻色（ブロンド）暗色、毛髪の褪せたもの	褪せた蒼白	暗灰色 褐色	明るいラッシェル	黄色味のある優味な赤 マンダリン赤	明るい桜色	明るい褐色	褐色 少し青く
	黄色がかった暗色	非常に暗色	ラッシェル 黄色がかった肉色	青味がかった黒赤	暗色味ある桜色	褐色(セピア)	褐色、青色及び灰色の蔭(オムブリン)
	明るく、赤味のある乳色	明るい色	赤味がかった肉色	淡黄色がかった赤	明るい赤	明るい褐色	褐色の蔭、ほんの少しの青色及び赤色
テチアン赤、総ての色調のマホゴニー赤（自然のもの）	非常に明るい乳色	総ての調子の主として緑色、及び褐色	肉色	優美な赤	黄色がかった中程度の明るい赤	赤味がかった中程度の褐色(紅土色)	褐色の少い青味ある蔭 少し緑色を帯びる
	褐色を帯びた中程度の色	褐色或は緑色がかったもの	黄色がかった肉色	黄色がかった赤	黄色がかった輝かしい赤色(朱色)	紅土色を帯びた褐色	褐色強く少し青味ある蔭或は多少緑色
テチアン赤ヘンナ色（人工のもの）	暗色	褐色	中程度のラッシェル帯黒色を帯びた肉色	毛髪の色に従って青味ある明るい或は暗色がかった黒赤色	暗赤色 青色がかった暗洋紅色或は暗い桜色	紅土色を帯びた暗褐色	特に褐色、少し青色または灰色
	蒼白	灰色、青色 緑色がかったもの	明るいラッシェル 黄色を帯びた肉色	明るい黒味ある赤	明るい、輝かしい赤	紅土色を帯びた褐色	少し青色、紅土色
	明るい乳色	緑色がかったもの 褐色	赤味を帯びた肉色 赤色	黄色味のある赤、赤味ある肉色	明るい桜色或は明るい輝かしい赤色(深紅色)	明るい褐色	紅土色、褐色、少し青色

註■「お化粧の四季」文章及び表は、昭和23年当時のものです。ご了承ください。

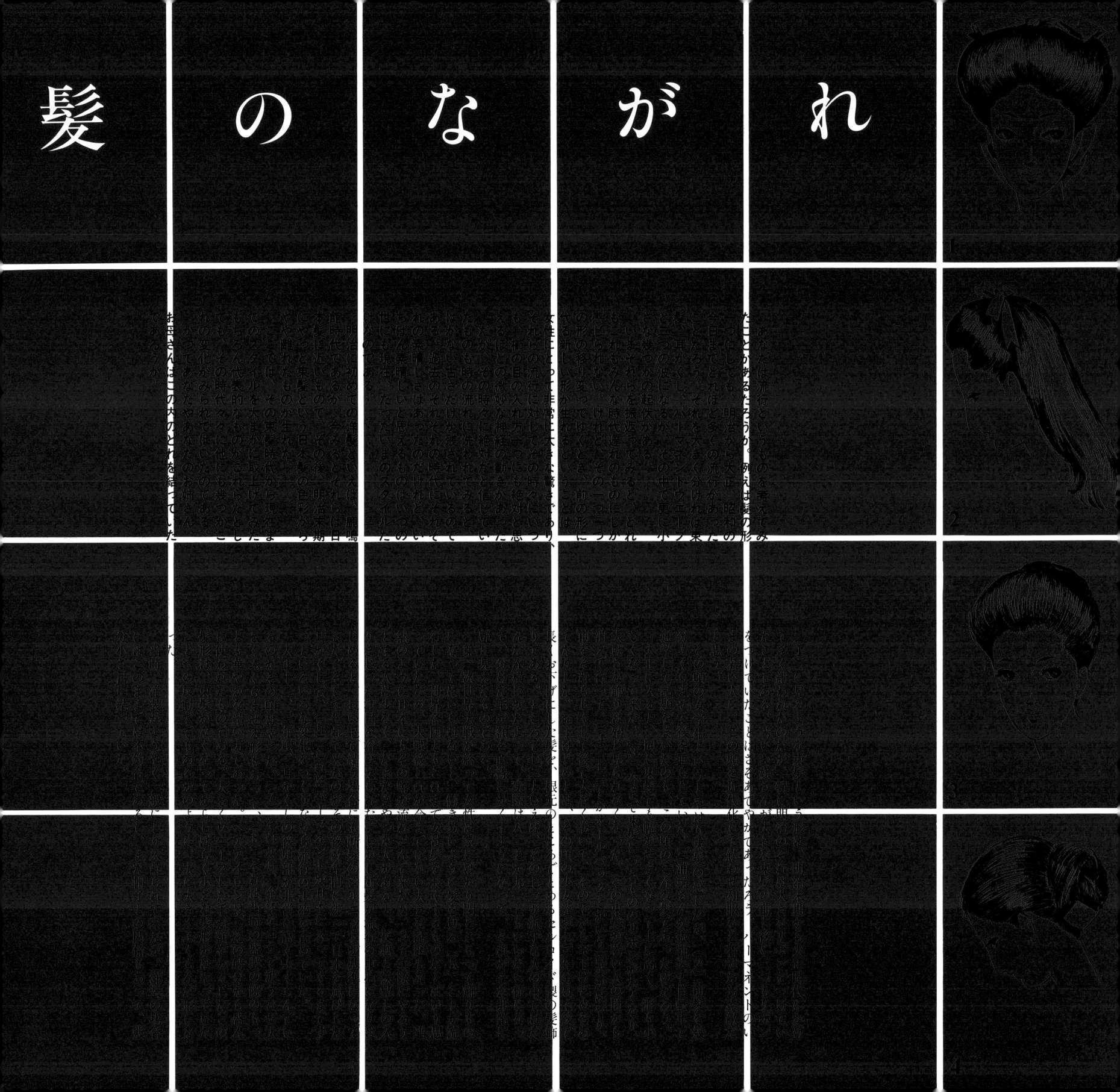

髪のながれ

あなたは流行というものを考えてみたことがあるだろうか。例えば髪の形一つにしても、明治から大正、昭和の今日までどれほど多くの流行があったことだろう。それを大きく分ければ束髪、耳かくし、パーマネントウエーブと三つの波になるが、その中で更に小さな幾つかの起伏がある。

いまそれらを振返ってみると、どれもこれもみんな時代遅れのものにしか感じられない。けれど、その一つ一つの形の移り変ってゆくとき、前の形に代る新しい形が生れるということは、女性にとって非常に大きな驚きであり、それらの流行に対してその時々にいつも、櫛の目の入れ方一つにも絶対と思えるほどの微妙な神経の動きがあった。だが、その時々に絶対と信じていたものも、時の流れに失われてみると、はかない古さだけが残されているのである。過去のそれぞれの時代にそれぞれの素晴しさはあったのだけれど、それほど素晴しいと思えるものはいつの世にも現在、たったいまのスタイルだけなのである。

明治に初めての洋髪といえば、鹿鳴館時代であるが、今みるとそれらは日本髪に近いもので、その後、明治末期にやっと束髪という日本髪の色彩からやや離れたものが生れた。

ここでは、その束髪時代から現在までのスタイルを大まかに取上げてみた。もちろん代表的なものがこれらだとしても、その時代々々に他にも幾つかこれの変化がみられてはいたのである。

かつてあなたやあなたのお姉さん、お母さんはこの内のどれを結っていたであろうか。

1

2

3

4

同じ頃のもう一つの流行に、9のように耳をかくして耳を出してて大きくふくらませた形があった。耳かくしがかなり一般ヴァンプなモダンな形であったのに対して、髪がおとなしく日本趣味に近いものだった。これは相当長くつづいて、後にはこの髪の端を内側にかくしたような形を「行方不明」などと名づけて次第に花柳界向きになって行った。

（10）もその頃の女学生の代表的な髪である。女学生というものは、いつでもその時の大人の流行の感じを加味しながら、後だけお下げにしているというのが常で、新しい人の女学生などは、前から見ると全く大人の髪と変らない位である。この絵の女学生の髪は、後で根を一つにとっておお下げとめをし、それを二つに分け、それぞれ毛先まで三つ編にして肩の辺りまで大きく下にたくして、それをリボンで結び、その毛の先が肩の辺りでぶらぶらしているのが彼女たちは嬉しくて誇りにもしたものである。

お下げが一般化され、往来には断髪が一ばんいいといわれたが、まだ緑の黒髪に対する執着もあって、あれもこうもと悩んだ末に生れたのが断髪のように見せる耳かくしである。（11）耳の辺りの毛を別にとって下でかくしていた今までの耳かくしと違って、上から逆いた毛でかくしているのが新しかった。前は後についているが、派手な好みの人は上に内側に巻きこんで後から見ても断髪に見えるといって喜んだものだ。

大正の末期にラジオが初めて日本で公開された頃は、レシーバーを両耳にあてて聴く方法であったため、長い毛を耳の辺りで丸く巻いて耳をかくした形が生れてこれをラジオ巻と言った。（12）程なく主に昭和に入って行われた形だが、その時代を風びするほどでもなく、お嬢さん向きのエキゾチックなものとして一部の人に愛された。

昭和に入っても日本婦人で断髪にする人は殆ど無かったが、それでもボツボツそんな人も現われて来た。当時の断髪の最も新しいスタイルとして、後を男のように刈上げて、横は耳が半分位見えるほど短くしたものがある。（13）これは当時流行した眉がかくれるほど深い帽子をかぶると、耳のわきに毛先がピョンと飛びだしているのが新しい魅力だった。モダンガールやモダンボーイを略してモガ、モボという言葉が使われるようになって、そんな男女の存在が話題となった時代であって、深い帽子と形の出るほど短いスカート、そしてこの髪がモガの代表みたいなスタイルとされた。

昭和五、六年になるとたとえ断髪にする人はなくとも、毛を切るということがやや一般的になって、若いひとの中には耳かくしの両わきの毛を揃えて切るひとが多かった。（14）こんな形の横に真紅なバラの造花などを一輪つけたりするのは、女学校を出たてのひとなどがまず結いたくなる種類のものだった。その後、という訳か、スペイン風が強くなってきて、逆毛をさすピンもスペインピンという大きなものが用いられた。（15）これまで額を覆った形が姿を二つに分け額を広く見せる傾向が強く、耳の上にかぶさってくる毛が少し長目になって一時すたれかけていたピンが前に述べた大きな形で復活した。ピンは間もなくまたすたれたりしたけれど、この髪形の感じはパーマネントのはやる頃までつづいていた。もっともこの形の変形として俗に「耳出し」といわれる形もあった。（16）普通はこの絵にある程度だが、派手好みの人は極端に左と右との差をつけた。

昭和七、八年になると、銀座で一流の美容院などにパーマネントウェーブの看板がぽつぽつ見かけられるようになったが、十年も経たないウェーブなんて信じられないとか、三月も半年も一つの型ばかりしか結えないのかしら、などと実際が判らないままにさまざまな話題をまいたものだった。次第にそれを取入れる人も出来てきた。まず最初にパーマネントをかけた人の髪というのが（17）である。捲毛にくるっと脇毛を盛上げて重々しく仰々しいので、当時の実

5

6

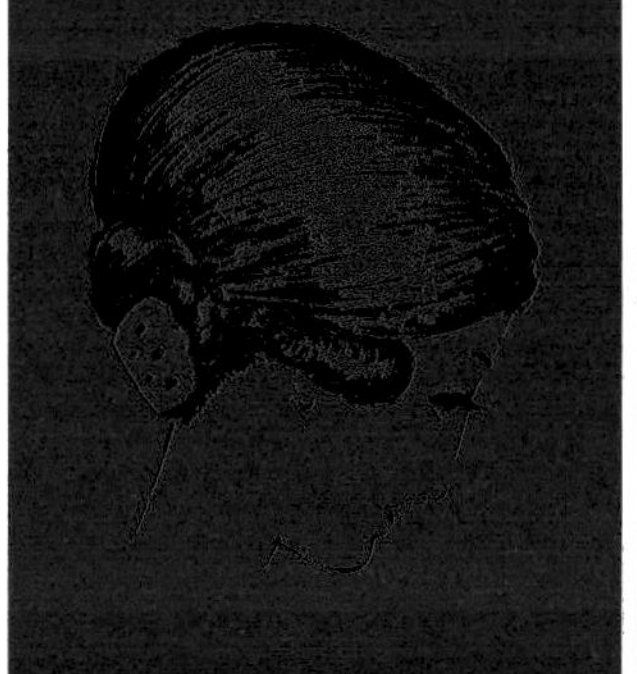
7

8

9

10

11

12

13

14

15

16

17

18

19

20

21

22

23

24

25

26

容院にはそれだけしか考えられなかったらしい。それがだんだんに落着いて小ぢんまりとした恰好になったが、同時に今までになかった新しい現象が現われた。(18)前髪を切るということと、耳を出してその後に黒い髪がのぞいているということで、それは耳かくしを見なれた人々に非常に新鮮な感じを与えた。パーマネントをかけてない人は、やはり後に髷をつけていたが、それももう耳かくしではなく、耳を出した形の髪にその頃はやった小花を連ねた造花をつけたりした。(19)小花と一緒にはやったものはリボンで、巾せまいものをカチューシャのように頭をぐるりとまいて結んだ。(20)はその頃の若いお嬢さんの髪形の一つで、ちょうど少女歌劇が全盛の頃おいである。

当時、少女歌劇の男役はシングル・カットで、女学生などもその髪に相当あこがれは抱いたが、さすがにそれを真似ることはしなかった。その女学生たちの代表的な髪が(21)である。下級生は大ていおかっぱだが、上級生は図のように両肩につかないほどの毛を、後で二つにわけ耳の両わきで留めた。耳のわきから短い毛がぴんとはねているのが可愛いものだった。この髪の良さはピンをとってしまえばバラリとなって、当時の二十一、二の娘さんの髪形になれるからだった。(22)おしゃれな女学生たちはこの髪で、日曜日などを楽しげに過ごしたものである。

昭和十二、三年になって、内巻という形が生れた。(23)今までパーマネントで波打っていた髪を見つづけていた眼には驚異的なものだった。もう一つ驚かされたことは、前と両わきの毛を上に掻き上げていることであった。いずれも今では常識となっていることだが、当時目になれるまでは、何となく日本髪くさかった。

この時分、一部の若夫人などがアップヘアに結い初めたりしたが、丁度、昭和十五年七月七日にいわゆる七、七禁止令というものが発表され、パーマネントを初め、一切のぜい沢な装いは止めようという声が起った。たまたま流行していた内巻は質素なものに感じられたのか、これとワン・ロールだけがお目こぼしにあって、それ以外の髪は一時流行が停止した。しかしそれもほんの束の間で、馴れてくるにつれて(24)の髪が新たに流行しだした。禁止令を無視したというよりも、美しくありたいとの女性の本能がそうさせたというべきであろう。

前にちょっとふれたアップヘアの流行は、当時としては一番驚異的なものだった。後の生え際の毛を上にあげることは、明治の束髪以来なかったことだ。この髪形も、金髪の外人ならいざしらず日本人がへたに結えば老けた感じになって可笑しいだろうと思われていた。ところが洒落たマダムなどが結ってみて、まんざらでもないと考え初めた頃、折から戦争に突入した日本にはアップもダウンも一切がターバンに巻きこまれて影をひそめてしまったのである。

以上が、明治から太平洋戦争までのごく大体の髪の移り変りである。

戦争後のいまは、当然のことながら、流行の髪としてアップが登場してきたが、それも戦前の動きと思い合せれば不思議はないであろう。

では、現在の流行の髪はといえば、それはもうあなた方もよく分っている筈で、(25)(26)(27)(28)図のこれがいまの髪形である。いずれも前にリングが見られなくなった。それから最近の傾向として、次の三つが挙げられる。(25)のアップが(26)のように変ったこと。(27)のように自然な感じが取入れられていること。(28)のようにすっきりした飾り気のない美しさのあること。

もちろんこれはいずれも絶対の流行ではなく一つの傾向なのだが。

この最新の髪形も、これから何年か後にはこれらの古い髪をみるように一つ一つの流行の波の変化は感じられず、一様に古風な髪として眺められるようになるのだから、流行というものはまったく面白いものである。

自分で結う髪

いま、あなたの周囲に居るひとの髪を、一人々々思いうかべてみましょう。

多分あなたは、みんなが申し合せたように、殆ど同じような髪にしか結っていないことに気がつくでしょう。

それはどうしてなんでしょう。それについて考えられるのは、まずみんなが結っている髪に結っていれば間違いないということともう一つ、そんな髪がいちばん結い易いからなのでしょう。

しかしながら、結い易い髪というのは、果してその形一つしか無いのでしょうか。

自分の毛の多さだとか、長さだとかの関係で、一概にいいきれないとしても、いろいろ研究してみたらもっとあると思います。いえきっとある筈です。

だから、自分で結える髪がいくつか有って、それを自由に結えるようになったら、その時々の気分とか、服装とかによって、さまざまに変えてみることが出来るのです。

その時こそ、あなたの装う生活がもっと豊かな愉しいものになるのです。

1

2

3

4

5

6

7

8

四つの夜の髪

　四つの，イヴニング・ドレスのための髪を考えてみた。

　肩を大きく明けた，ジプシーのように素朴でパッショネートなこんなドレスには，結い上げた髪よりも艶々と波打ったままの髪に，大輪の花を両わきと後ろに飾ってみた。

　生え際から花の位置までが，きっちりと真直ぐにとかされているのが，波打った毛との対照を作って美しい。

華やかさをどこまでも華やかに生かすという場合と，華やかなものを殺して，より一層華やかさを強調させる場合と，二つの行き方がある。ともに同じ効果を狙った行き方でありながら，この髪の場合は後の方の行き方である。正面から見ると，殆ど何の装飾もないようなこの髪が，それだけにうしろの華やかさをより引立てているのである。

すっきりとしたシックなこのドレスは，もちろんマダム向きのものである。こうしたドレスには，髪飾りなどがあまりキラキラしているのは，折角デコレーションをさけて布の美しさをみせたドレスの効果が殺されてしまう。花を飾るにも，この年頃ならば花を前から見せるよりも，うしろで見せた方が，美しくもあり，ずっと印象的でもある。

これは20才前後のお嬢さんのそれらしく，リボンで飾るドレスである。こんなドレスには，やはり髪にもリボンを飾るのが一番良い。そのリボンも，ドレスに飾ったリボンと同じものでありたい。どこかしらフォーマルな感じを見せていながら，素直なあどけなさの溢れたものでなければならない。こんな髪が乙女の日のパーティを，より一層楽しいものにしてくれるだろう。

どの髪を選びましょう

前髪は顔に一番近いもので、大切なものですから、あなたの顔にもっとも良く似合うのがいいのです。

ですから、この絵を見ても、前髪だけは御自分で似合う形を選んで下さい。

しかし、いま前髪にロールやウェーブを高く盛上げた形が流行の第一線から退きつつあることだけは、よく知っておいて下さい。

1、この二輪の花は、もちろん無くてもよいのだけれど、この花を挿した場合の、和服やディナー・ドレスを想像して欲しい。

2、後ろを二つに分けてしまったので前髪がずっと新しくなる。短い毛ならばカールの一つ一つに個性をよく生かして、ふっくらと。

3、日本髪にある稚児まげを思わせるような髪である。この髪を結うときは、少し波打った毛でやわらかく結い上げた方が美しい。

8、大正時代にはやった下げ髪が、新しい感覚で生き返って来た。全髪を二つに分けて左右ともまとめて結んだ方が、印象は新しい。

9、右と同じようなスタイルの髪であるが、リボンをとめの代りに、小さな花をたくさん連ねたもの。やさしく美しい髪である。

10、小さなリボンを沢山つくって並べて飾ってある。ちょっと花を飾ったような感じではないが、花よりも活発な美しさが感じられる。

11、まるでカーネーションの花を見るような花、これはレースを縫いしぼって作った花である。レースのドレスとアンサンブルに。

4、もし生え際の美しい人であったなら、こんな風にずっと後ろに梳上げてしまった方が、ますますその美しさを強調することになる。

5、髪に飾ったこの造花は、普通の造花特有のいやらしい色彩でありたくない。まるで生花に見る様な生々した色と香い葉がほしい。

6、こんな髪は少女にどうであろう。いつも同じ髪ばかりでなく、こんな髪を何げなくやわらかく、自分で結い上げられる様になりたい。

7、このような長い三つ編は、もちろん借り毛を用いたもの。結い方も面倒なように見えるが、付け毛を使えばさほどではない。

12、顔の下ぶくれの人はこんな形にすれば、よほどそれがカムフラージュされるし、顔の美しい人は、なおさらそれが強調される髪。

13、すこし根を高くとってあるのが、新しいシルエットを取入れたこの髪の狙い。リボンはやや巾の広目なのを結んだ方がよい。

14、前髪が、まっすぐに梳かれていて、横の毛は、捲毛を作っている。それが、いかにも面白いシルエットを作りだしている。

15、小花をつらねたものが、前とうしろの毛の周りをめぐっている。これは、華やかな夜のきものか、または花嫁の装いのために。

子供の髪・少女の髪

子供の髪の可愛さは，もっとも子供らしいことにあります。

しかし，その子供らしい中に，ちょっぴり大人の真似をしたようなところが，一か所ぐらいあるのも子供の生活が出ていて、もっと可愛らしいものです。

もちろん大人の真似といっても，それはいつでも微笑ましく扱われている場合のことで，大真面目に大人の真似をしたのでは，厚化粧をした子供のようで，ちっとも美しくないばかりか不愉快なものさえ感じられます。

三才ぐらいから，軽いパーマネント・ウエーブをかけても，毛の質は痛めないようですから，かけてみるのも色々な髪の変化がついて，それも良いのではないかと思います。

ただ，ことさらそうする事が，子供に間違ったおしゃれの観念を植えつけるとすれば，それは考えものです。

女の児の，ごく自然な行為として誰もがそうするのならば，悪いことでもないかも知れないが。

ともあれ，子供の髪は，結局「可愛らしく」の一言につきるようです。

髪さまざま

私はどんな髪に結ったらいいだろう、とはどの女のひとも考えていることだし、またいちばん手近に簡単に出来そうなことなのに、案外に工夫もしないで、毎日同じようにくり返しくり返し一つ髪を結っている。

毎朝毎日、鏡に向うたびに、さて今日はどんな形に結おうかと考案するのでは、それは確かに大変なことに違いないが、自分で結える幾つかの髪をもっていて、それを適当に使いわけることなら、それほどまでに面倒なことではないと思う。

この一冊が、そんなあなたのパイロットの役をつとめることが出来たとしたら、この上もない幸いだと思う。

こんな形はうんと若いお嬢さんでも、中年の人にもよく似合うものです。若い人はあまり固い感じに纏め上げてしまわないように。

ほんの少し後ろで刈り上げた形になっていて、前髪や横の毛を色々に工夫して、その時々の美しさや華やかさを出すようにする。

短い髪をピンカールかその他の方法で、美しく波うたせて形よくまとめたもの。首のそよ風に散ってもそのままで美しい型。

春の髪

1950・それいゆ12号 発表

フェザーカットが髪型の常識になってしまったけれど、それがまたずっと短くなって後ろがちょっとした刈上げのようになったものが流行して来ました。新しい髪は誰もがそうしなければならないというのではないけれど、新しいシルエットがどうであるかという事は知っていたいものです。新しいシルエットのドレスを着ても、髪の形が古くては、その新しさが充分に生きないものです。流行もふくめての貴女の美しさが、髪型によってある程度決定されるという事はたしかでしょう。

前から見ると、フェザーカットのようで、後ろは高く根をとってリボンで結ぶ。大きくふっくらと毛先を内に巻く和服向な型。

前髪を大きくおろして、後を真中からわって、両脇をふっくらとまとめる形。これは、余り綺麗に揃えすぎると日本髪の様になる。

髪を短くすると、アップスタイルには結えないといわれていますが、これならばその短い髪で、美しく結い上げられます。

プリンスのカットのようなこんな形は、顔の円味の強い人だったら、さぞ美しいだろう。前髪に量を多く出して、短めに。

これも若い人にも中年の人にもそれぞれの美しさが出せる形で、ショートカットでも、また長い髪でもこの感じは出せるでしょう。

前と同じものを、毛先をほぐして、やわらかく形つけ、ピンと張ったリボンを二か所に結び、春らしい華やかさを添えてみましょう。

根を高くとって、毛先を綺麗に内に巻き込み、大きく丸いまげの様なものを作る。前髪を可愛く下げて華やかさを添える。

これも、毛の長い、どちらかといえば和服の方に向くもので、横で毛先をカールさせ、後ろはゆるやかな大きな外巻をU字型につくる。

前髪

1956・それいゆ37号 発表

流行する、という事はおかしなものである。

今まで前髪をおろす場合は洋の東西を問わずパッサリと切り揃えるものときまっていたのに、病気で頭の髪がすっかりぬけてしまった後にしょぼしょぼと毛が生えて来たかの様な――どんぶりと水の中にほうり込まれて、やっと岸まではい上ったかの様な――どぶねずみが水からはい上った時の様な髪――いやもっときれいな例をとれば、水泳選手がプールから出て来た時の様に、最近の前髪はポソッとまばらな毛が額にかかっている。

勿論、切りそろえた前髪を今時したのではおかしい、というのでもないが、未だかつてないスタイルとして登場したのがこの前髪である。

人間がいつでも新鮮さを求めているのは今さらいうまでもないが、あの手この手の前髪の形もやりつくしてしまったら、今度はこんな前髪に新しい魅力を感じて、それが流行という風にのって世界を今かけめぐっているのだから面白いものである。

もしも貴女が、ああもこうもやりつくしたし、ヘップバーンスタイルで短く切った髪が少しのびてきて、それにもあきてしまったし、どうしたものかと迷っているのなら、一度その前髪を鋏か剃刀でジグザグにそいでみてごらんなさい。

ちょっと見なおす程の新鮮な美しさを毎日見なれた貴女の顔に発見する事でしょう。

前も横もいままでと同じであっても、この前髪が新しくなっただけでそれをしばらく楽しむ事が出来るでしょう。

髪

1957・それいゆ43号 発表

人間はどんなに美しいと思ったものでも、それはかり見ていると、そのうちにはだんだんあきてきて、何の感激もおぼえなくなってしまう。

そして自分でも気がつかない間に誰の心の中にも、もっと新鮮なものはないかと、さがしていて知らず知らずのうちに自分で工夫もしているものだ。

ひと頃日本のすみずみまでも、まるで申し合せた様に風靡した、あのショートカットがあきられてくると、また申し合せた様に誰もが髪を伸ばし始めたのだけれど、さて中途半端に伸びた髪をどんなに形づけたらいいか考えあぐんで、いっその事また切ってしまおうか、と考えている人も大分多いのではないかと考える。

髪はいくら切ってもまた伸びてくるものだから、切る事も別に大した事ではないと思ってもいいけれど、折角そこまで伸びたのならちょっとまって下さい。この絵の中にでもあなたに似合う髪型は一つ位はないものだろうか。

サイドを中に巻きこんで、ちょうど昔の内巻きの様な髪だが、典型的な耳かくしと違って横にあまり張り出さずに何げなくまとめたのが技巧的でなくて新しい。前髪もそれに合せて軽くプレーンに。若い人のふだんのために。

真中でわけた前髪を一寸ねじらせて、少し耳が見える位に持ってゆきそのまま後ろで束ねた新しいマダムのための髪。前から見るとちょうど短い髪の様。和服にも洋服にも似合うもの。

前を出来るだけ高く、それにつれて両わき、後ろもふんわりと大きくまとめる。ブラッシングの向きをととのえ、美しいうねりを持つウェーブが新鮮なかんじ。

どんなにその髪型が気に入っても、毎月の通学や通勤に手間どる様なものではとても長続きするものではないし、美容院へ行かなければセットが出来ない様なものも、平常の髪には不向きだし——それでは『流行』するというところまでとてもゆかない。

やっと根までとどく長さに伸びたら、それにヘアピースの髷をつけるのには心ひかれる人も多いらしいが、ヘアピースを買って来なければならないのではちょっとおっくうだ。

何でも『はやる』というものは、人間の生活の邪魔にならないものが選ばれているもので、つまりこれは——新鮮で、ちょうど手頃で、便利だ、というところで誰でもがそれを好むから、それが街中にあふれて『流行』となってしまうというわけ。

それはさておき、毎朝鏡に向って手の習慣の様に同じ髪に結いあげず、毎晩床につく前にセットして、朝ブラシで軽く仕上げただけで美しい位の形を工夫して、いつも新鮮なあなたであって下さい。

髪を後ろへとかし上げ、毛先を抜けて[illegible]。中途半端な長さだったり、[illegible]らしくて面白い。[illegible]

のびかけた髪が、全部前に揃えられ、またそんなにのびていない人で似合って、しかも顔が小さい場合、その[illegible]を一つ編みすると、ちょうど面白い大人らしくなって可愛くもなる。

髪を全部上へ持ちあげて、前から見える様に前髪の蓋を結ったスタイルのものは、和服でも洋服でも似合うが、それらがドレッシィでなければ普通の髪がアンバランスになっておかしくなる。

ターンの髪と考えないで、ほかにもすてた人でも、前髪がのびたそのままサイドに続いている。一見無雑作の様にかんじられる髪だが、このうねりが微妙な感覚を見せている。

耳が大きくなる様に、前は小さく[illegible]れていられれば、こんな短かい[illegible]ウイングのままとピンカールで止まるもの。[illegible]の様に強く流れて[illegible]はブラッシングをていねいに。

←

マダムのために，真中から両脇への髪のうねりが，ちょうど耳の上をかすかにおおって，後ろへ流れている。後は髷があってもなくてもよいが，髪の長さがあまり短いとこのかんじはむずかしくなる。

↑

耳をやわらかくおおったサイドの髪は，自然にやや後ろへ向って巻きこまれていて，そのナチュラルな髪の流れが顔の美しさを強調している。短い髪にあきた，女学生のおしゃれのために。

↑ 自然に七三にわけたかんじの前髪は，よくブラッシングして，短くきったサイドの髪と一緒にピンとまげ，後ろも同じテクニックを繰りかえしたもの。ピンカールとブラッシングを手まめに。

←

前髪をさりげなくさげ，他の髪は全部後ろへまとめて髷を作った若い人のふだんに。こんな髪はマダムのためと考え勝ちだが，10代の人でも，それらしい雰囲気があって，おしゃまなかんじ。

→

サイドの髪を思い切り上へもって来て結び，造花をドレッシィに飾った，若い人のよそゆき。和服にも洋服にも似合うものだが，造花の色がその和服や洋服の色にマッチしたのを選ぶ様に。

自分で結いましょう

はつ春の髪

1957・それいゆ48号　発表

b　根までとどかない周りの短い毛をまげの大きさにとり、根の方へよせながらすずらん止めでおさえ、まげの下地をしっかりつくっておく。

c　ヘアピースを二つおき、その間にこうがいをおいて、それが動かないようにまげの周りを、大きめのヘアピンでしっかりとめる。

d　ヘアピースのつぎ目をかくすように、てがらをこうがいに引っかけて結び端は恰好よくからませて、見えないようにはさみこんでおく。

a　どうしていいかわからないような短い髪は、摑めるだけとって結わえておく。

e　小さい花を真中はやや低く少な目に両方の端をもり上るように、こんもり飾って出来上り。衿足のおくれ毛はわざと残して味をもたせた。

2

a　横の髪を短く切ってしまったカットを生かした髪型。短い前髪は、顔に似合うように適当に型づけておく。

b　後ろの長い髪の根をとって、ポニー・テールのようにゴム紐でしっかり結ぶ。

横の髪も、自分の顔に合せ、適当にカールしてくせづける。

3

c　前髪はおろしてもよいが、パーマがよくかかっていないので、上にふわっとかき上げて形よくまとめた。毛先はおくれ毛止めでおさえる。

c　しばった毛先をまとめその上にヘアピースをのせヘアピンでしっかりおさえる。横の髪をピタッとおさえた方が似合う人はそれでもよい。

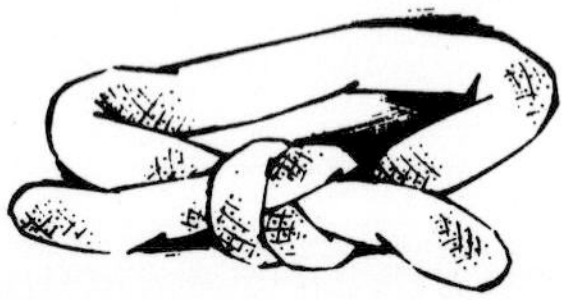

d　大き目のヘアピースをのせまわりをヘアピンでしっかりとめつけ、同じかんざしを四本さす。まげのまわりに小さな花をかざってもよい。

a　うしろは根を低目にとりゴムでしばる。横の髪をわざとのこしたのは両わきをふっくらとふくらませたいため。

b　のこした横の髪はふくらませ加減にうしろにかき上げ、すずらん止めでおさえる。好みによっては、逆毛を使ったりしゃぐまを入れても。

d　てがらをゆるく結び、まげの上にのせる。てがらの両はしの輪に大き目のヘアピンをさし、まげにとめつけ、形よくまとめ仕末する。

てがらの両端の下に同じ色のかんざしを二本さしこんで出来上り。

前髪は無雑作に前にたらしたが、上にかき上げてもよい。

a　短いのでゴムでしばれない。うしろで丸くとった髪の毛をねじるようにしてすずらん止めでしっかりとめつける。

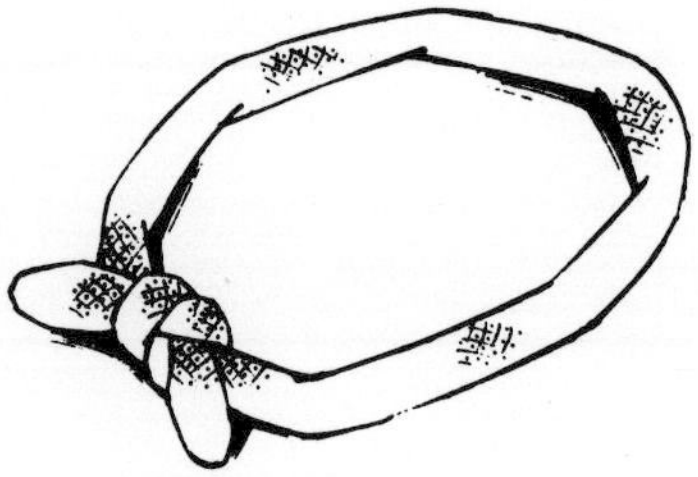

b　てがらの両端を軽く小さく結び、うしろにとった根の上側にもってきてヘアピンでとめつけてそのまま長くたらしておく。

c　てがらの結び目が前から見えるように大き目のヘアピースをのせ、根にとってまとめた毛にヘアピンでとめつけるとしっかりとまとまる。

d　てがらに下端の輪にヘアピンをさしまげの上にもってきてきゅっととめつける。かんざしをまげにさす。おくれ毛はヘアピンでおさえる。

a　まげを下の方につけるために、毛は全部うしろにとかしつけ、衿足の毛もかきあげてはすずらん止めでとめつける。

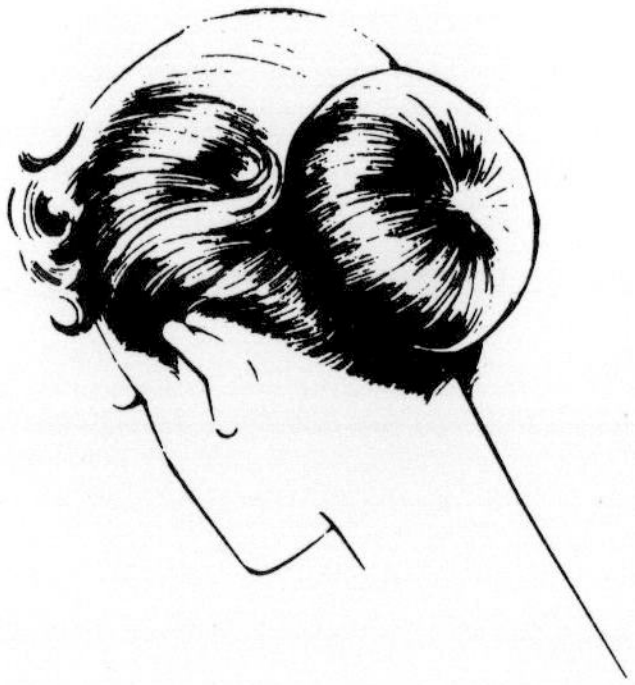

b　横の毛も両わきにたらさずに、うしろにかきあげて細いヘアピンでそっとおさえる。ヘアピースを低目においてヘアピンでしっかりとめる。

c　ヘアピースの両わきに同じ形のかんざしをさしこむ。かんざしは、ヘアピースの下地にさしこむようにすると、しっかりとまる。

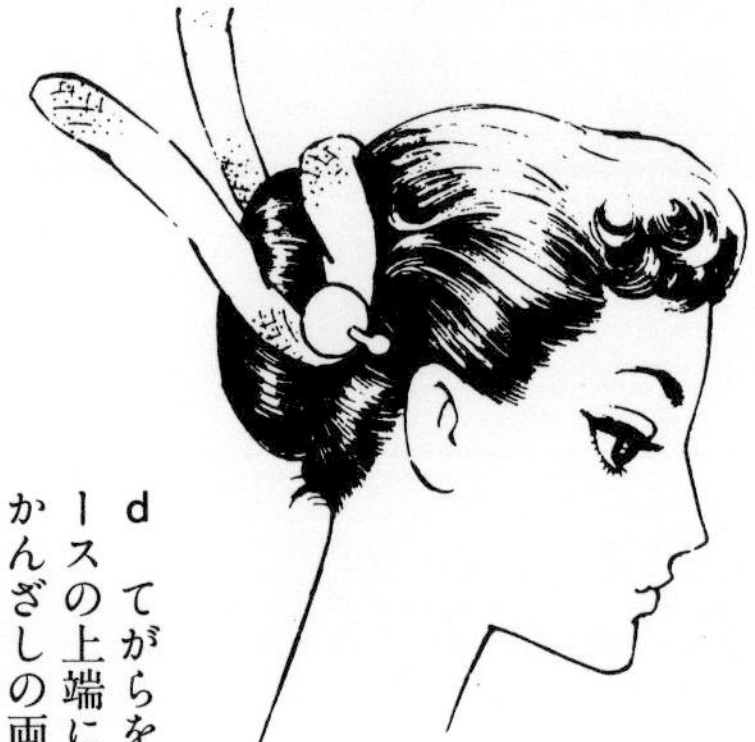

d　てがらをヘアピースの上端においてかんざしの両端にひっかけるようにしてまげの上側で結び、形よくまとめて仕末する。

e　後ろにさしたかんざしと同じものを前髪を少し上げてさし髪でまきピンでとめる。その上から前髪をふわっとかけヘアピンでそっとおさえる。

ご協力いただいた方々

本書の刊行にあたっては、著者・挿画家中原淳一氏の著作権者葦原邦子氏、寄稿者山野愛子氏及びマヤ・片岡氏の御快諾・御協力をいただきました。また、中根健二氏、牧野哲大氏には貴重な資料を御提供いただきました。併せてここに記し、感謝の意を表します。

髪の絵本

昭和62年9月5日 初版発行
平成21年3月20日 新装版第1刷発行
平成24年7月5日 新装版第2刷発行

著　者　中原淳一

挿　画
装　幀　中原淳一

監修者　中原蒼二

発行所　国書刊行会
東京都板橋区志村1-13-15
郵便番号　174-0056
電話　03-5970-7421
http://www.kokusho.co.jp

発行者　佐藤今朝夫

印刷　㈱エーヴィスシステムズ
製本　㈱ブックアート

落丁本・乱丁本はお取り替えいたします。
ISBN978-4-336-05104-2

小社好評既刊

紫苑の園
松田瓊子作
中原淳一画

昭和一六年初版以来変わらぬ人気を保つ著者の代表作。六人の少女たちが寄宿生活を送る「紫苑の園」に新入生として入った香澄を中心に少女の愛、友情、喜び、哀しみを細やかに綴る。

定価：本体二〇〇〇円＋税

美しさをつくる――中原淳一対談集
中原淳一他

戦後女性の生き方をリードした中原淳一は、座談の名手でもあった。時代を映す若きスターたちとの対話、文化人との美をめぐる鼎談など、精選してお届けする美しい話の泉！

定価：本体一九〇〇円＋税

花物語　全三巻
吉屋信子作
中原淳一画

少女小説の代表的名作として、多くの少女たちに圧倒的支持をもって読みつがれ、感涙を誘ってきた「花物語」――その一篇ごとを彩る花々に寄せて淳一が華やかな挿画で飾る。

各巻定価：本体一九〇〇円＋税

あの道この道
吉屋信子作
須藤しげる画

金持ちの一人娘しのぶが貧しい漁師の子千鶴子と取り替えられたことが発端となり、二人の少女の歩む数奇な運命……。少女倶楽部連載当時から絶賛を博した一大ロマン。

定価：本体二五〇〇円＋税

七つの蕾
松田瓊子作
中原淳一画

梢と黎子という仲の良い二人の少女の友情と家庭の出来事を中心に、少年少女たちの生活が細やかに愛情込めて綴られた、当時一九歳の筆者による敬虔で純粋な物語。

定価：本体二〇〇〇円＋税

源氏物語　全三巻
吉屋信子作

お祖母さんが三人の孫娘に読み聞かせる源氏物語講義。全五四帖を三冊にまとめ、誰でも愉しみながら理解できる現代語訳。『婦人倶楽部』連載の幻の名著を復刊。

各巻定価：本体一九〇〇円＋税

復刻版 ひまわり 全六七冊 中原淳一編集

少女への叙情とロマンに彩られた戦後なつかしの少女雑誌、完全復刻！　昭和二二年一月創刊号から二七年一二月最終号まで、各巻を分売。

各巻平均定価：本体一九〇〇円＋税

復刻版 それいゆ 全六冊・別巻一 中原淳一編集

昭和二一年、焼跡に女性たちの夢と希望を甦らせようと淳一が創刊した女性誌『それいゆ』。その全盛期の傑作号を厳選し復刻。瀬戸内寂聴ら寄稿による新編集の別冊を付した愛蔵版。

揃定価：本体二八〇〇〇円＋税

JUNICHI シルエット絵本 中原淳一他著

美しく懐かしい淳一のシルエット・イラストをちりばめた美麗な物語集。「マッチ売りの少女」「椿姫」「人魚姫」「カルメン」「イーダの花」等、様々な物語が蘇る。

定価：本体二二〇〇円＋税

JUNICHI 新絵物語集 中原淳一他著

「若草物語」「白雪姫」「お夏清十郎」……淳一の美麗なカラーイラストとともに『ジュニアそれいゆ』誌上に連載されて人気を博した懐かしい絵物語を新たに集大成。

定価：本体二八〇〇円＋税

七人のお姫さま 中原淳一画

親指姫、人魚姫、白鹿姫、雪姫、シンデレラ、ポストマニ姫……お姫さまの登場する有名な物語七編を淳一の挿画で飾った、美麗極まりない童話集。

定価：本体二二〇〇円＋税